JN121386

サービス産業動向調査年報

2020 年（令和 2 年）

Annual Report on

the Monthly Survey on Service Industries

2020

総務省統計局
Statistics Bureau
Ministry of Internal Affairs and Communications
Japan

御利用に当たって

1 公表について

　サービス産業動向調査（月次調査）の結果は，原則，速報を調査対象とする月の翌々月の下旬に，確報を調査対象とする月の5か月後の下旬にインターネットで公表しています。

2 サービス産業動向調査のホームページ

　総務省統計局のホームページにおいても，サービス産業動向調査の結果及び関連情報（調査の概要，Q&A，公表予定等）を提供しています。

＜日本語版ホームページ＞　　https://www.stat.go.jp/data/mssi/index.html
　　主な収録内容
　　・調査の概要　　　　　　https://www.stat.go.jp/data/mssi/gaiyo.html
　　・調査の結果　　　　　　https://www.stat.go.jp/data/mssi/kekka.html
　　・Q&A　　　　　　　　https://www.stat.go.jp/data/mssi/qa/index.html

　　本書についてもPDF形式（統計表はExcel形式）で掲載しています。
　　　　　　　　　　　　　https://www.stat.go.jp/data/mssi/report/index.html

　このほかの結果の利用（閲覧・入手等）については，巻末の「サービス産業動向調査（月次調査）結果の利用方法」も御参照ください。

ま　え　が　き

　この報告書は，サービス産業動向調査（月次調査）の2020年の結果を取りまとめたものです。

　サービス産業動向調査は，サービス産業の生産・雇用等の動向を月次で把握し，各種経済指標の精度向上等に資することを目的として，2008年7月から毎月実施している調査です。

　本調査では，事業所・企業等の月間売上高，事業従事者数など，我が国のサービス産業の実態を把握するために欠かせない基本的な事項を調査しています。

　調査の結果，2020年におけるサービス産業計の売上高は，新型コロナウイルス感染症の影響（外出自粛要請や休業・営業時間短縮要請など）により，前年比10.2%の減少と比較可能な2014年以降初めて減少となりました。

　本調査の結果は，ＧＤＰの四半期別速報（ＱＥ）や第3次産業活動指数など各種経済指標に使用されているほか，国や地方における各種行政施策の基礎資料，大学や研究機関などの研究基礎資料，また，企業などにおける市場動向の把握を通じた経営戦略等への活用など，広く利用されることが期待されます。

　本報告書を刊行するに当たり，本調査に御回答いただいた多くの事業所，企業等の方々に対し，厚く御礼を申し上げます。

2021 年 11 月

総 務 省 統 計 局 長

井上　卓

PREFACE

This report contains the results of the Monthly Survey on Service Industries for 2020.

For the purpose of grasping basic data of the service industries including trends of production and employment, and to contribute mainly to the enhancement of the precision of various economic indicators, the Monthly Survey on Service Industries has been conducted every month since July 2008.

The monthly survey investigates the basic information of each business activity, such as current month's sales and the number of workers. These items are essential components for grasping the true condition of the service industries for Japan.

The survey result presents that the sales of service industries in 2020 was down 10.2% from the previous year and marking a decrease for the first time since the survey was revised in 2013, due to the impact of novel coronavirus disease (COVID-19) including stay-at-home requests and business suspension orders.

In addition to being used to improve the accuracy of economic indicators such as the Quarterly Estimates (QE) of GDP, Indices of Tertiary Industry Activity (ITA) and etc., the results of the survey are expected to be widely used as a basis for various administrative measures in the national and local governments, as a basis for research in universities and research institutes, and in making management strategies in enterprises through understanding market trends.

This survey was conducted with the cooperation of a large number of enterprises and establishments.

I would like to take this opportunity to express my deepest gratitude to all the people who cooperated in this survey.

November 2021

INOUE Takashi
Director-General
Statistics Bureau
Ministry of Internal Affairs and Communications
Japan

目　　次

CONTENTS

結 果 の 概 要

I　サービス産業の状況

各月売上高の平均	28 兆 7367 億円	（前年比　　10.2%減）
平均事業従事者数	2971 万人	（　同　　　1.6%減）

1　各月平均の状況

（1）各月売上高の平均

　　2020 年各月のサービス産業の売上高の平均は 28 兆 7367 億円となり，前年と比べると 10.2%の減少と，新型コロナウイルス感染症の影響（外出自粛要請や休業・営業時間短縮要請など）により前年比が比較可能な 2014 年以降では初めての減少となった。

　　減少に寄与した主な産業は「生活関連サービス業，娯楽業」（寄与度 [1]-3.05），「運輸業，郵便業」（同-2.78），「宿泊業，飲食サービス業」（同-2.12）などとなっている。

（図 I－1－1，表 I－1－1）

$$注1）寄与度＝\frac{当期当該産業大分類の売上高－前期当該産業大分類の売上高}{前期サービス産業計の売上高}×100$$

事業従事者数についても同様。以下同じ。

図 I－1－1　サービス産業計の各月売上高平均の前年比及び寄与度の推移

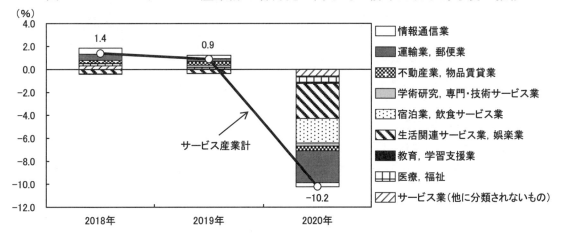

表 I－1－1　産業大分類別各月売上高平均の前年比及び寄与度の推移

	実数（百万円）2)			前年比（%）			寄与度 3)		
	2018年	2019年	2020年	2018年	2019年	2020年	2018年	2019年	2020年
サービス産業計	31,721,253	32,010,522	28,736,724	1.4	0.9	-10.2			
情報通信業	4,938,309	5,027,410	4,912,550	3.4	1.8	-2.3	0.52	0.28	-0.36
運輸業，郵便業	5,536,722	5,619,100	4,729,145	3.1	1.5	-15.8	0.53	0.26	-2.78
不動産業，物品賃貸業	4,008,120	4,106,868	3,978,504	2.1	2.5	-3.1	0.26	0.31	-0.40
学術研究，専門・技術サービス業	2,681,316	2,740,073	2,651,429	0.1	2.2	-3.2	0.01	0.19	-0.28
宿泊業，飲食サービス業	2,418,252	2,417,667	1,737,923	-0.5	0.0	-28.1	-0.04	0.00	-2.12
生活関連サービス業，娯楽業	3,803,991	3,692,801	2,716,806	-3.0	-2.9	-26.4	-0.38	-0.35	-3.05
教育，学習支援業	319,222	323,016	281,601	1.8	1.2	-12.8	0.02	0.01	-0.13
医療，福祉	4,651,004	4,692,637	4,523,222	1.3	0.9	-3.6	0.20	0.13	-0.53
サービス業（他に分類されないもの）	3,376,981	3,390,949	3,205,542	2.9	0.4	-5.5	0.31	0.04	-0.58

　　注2）2019 年 1 月に標本交替を行った。これに伴い，2018 年以前の実数について，この変更により生じた変動を調整した値（調整値）を作成した。本報告書では，この調整値を掲載している。なお，2021 年 1 月に母集団情報変更・標本交替を行った際に新たに作成された 2020 年以前の実数の調整値については，本報告書に掲載していない。

　　3）各年の寄与度は，前年の調整値を用いて算出している。調整値は産業分類別に作成しているため，各産業分類別の寄与度の合計と上位合計欄の前年（同月）比とは必ずしも一致しない。以下，同種の表について同じ。

産業大分類別に前年と比べると，「宿泊業，飲食サービス業」が 28.1％の減少，「生活関連サービス業，娯楽業」が 26.4％の減少，「運輸業，郵便業」が 15.8％の減少，「教育，学習支援業」が 12.8％の減少，「サービス業（他に分類されないもの）」が 5.5％の減少，「医療，福祉」が 3.6％の減少，「学術研究，専門・技術サービス業」が 3.2％の減少，「不動産業，物品賃貸業」が 3.1％の減少，「情報通信業」が 2.3％の減少と全 9 産業で減少となった。

(表 I－1－1，図 I－1－2)

産業大分類別の構成比をみると，「情報通信業」が 17.1％（4 兆 9126 億円）と最も高く，「教育，学習支援業」が 1.0％（2816 億円）と最も低くなった。

(表 I－1－1，図 I－1－3)

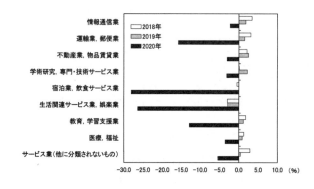

図 I－1－2
産業大分類別
各月売上高平均の前年比の推移

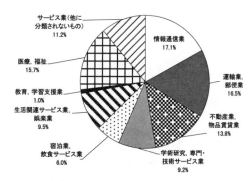

図 I－1－3
産業大分類別
各月売上高平均の
構成比（2020 年）

（2）平均事業従事者数

2020 年各月において把握したサービス産業の事業従事者数の平均は 2971 万人となり，前年と比べると 1.6％の減少と，前年比が比較可能な 2014 年以降では初めての減少となった。

減少に寄与した主な産業は「宿泊業，飲食サービス業」（寄与度-1.06），「運輸業，郵便業」（同-0.29），「サービス業（他に分類されないもの）」（同-0.24）など，増加に寄与した産業は「情報通信業」（同 0.10）などとなっている。

(図 I－1－4，表 I－1－2)

図Ⅰ－１－４　サービス産業計の平均事業従事者数の前年比及び寄与度の推移

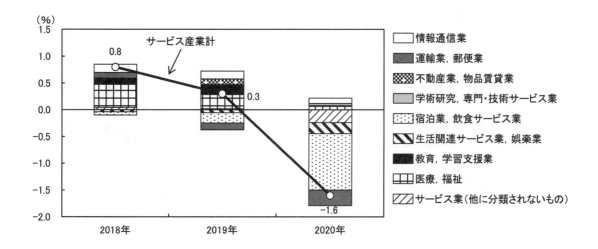

表Ⅰ－１－２　産業大分類別平均事業従事者数の前年比及び寄与度の推移

	実数(人)			前年比(%)			寄与度		
	2018年	2019年	2020年	2018年	2019年	2020年	2018年	2019年	2020年
サービス産業計	30,084,700	30,186,200	29,711,900	0.8	0.3	-1.6			
情報通信業	1,898,300	1,942,500	1,973,100	2.5	2.3	1.6	0.15	0.15	0.10
運輸業，郵便業	3,717,700	3,679,300	3,591,600	0.8	-1.0	-2.4	0.10	-0.13	-0.29
不動産業，物品賃貸業	1,599,100	1,631,000	1,631,600	0.2	2.0	0.0	0.01	0.11	0.00
学術研究，専門・技術サービス業	1,784,600	1,789,600	1,800,900	0.3	0.3	0.6	0.02	0.02	0.04
宿泊業，飲食サービス業	5,579,100	5,521,100	5,202,400	-0.3	-1.0	-5.8	-0.06	-0.19	-1.06
生活関連サービス業，娯楽業	2,562,000	2,545,500	2,483,500	-0.5	-0.6	-2.4	-0.04	-0.05	-0.21
教育，学習支援業	987,400	1,039,500	1,044,500	2.8	5.3	0.5	0.09	0.17	0.02
医療，福祉	8,129,700	8,208,700	8,227,100	1.6	1.0	0.2	0.43	0.26	0.06
サービス業(他に分類されないもの)	3,823,500	3,829,100	3,757,200	0.3	0.1	-1.9	0.04	0.02	-0.24

　産業大分類別に前年と比べると，「宿泊業，飲食サービス業」が 5.8％の減少，「運輸業，郵便業」及び「生活関連サービス業，娯楽業」が 2.4％の減少，「サービス業（他に分類されないもの）」が 1.9％の減少と４産業で減少となった。

　一方，「情報通信業」が 1.6％の増加，「学術研究，専門・技術サービス業」が 0.6％の増加，「教育，学習支援業」が 0.5％の増加，「医療，福祉」が 0.2％の増加と４産業で増加，「不動産業，物品賃貸業」が前年と同水準となった。

（表Ⅰ－１－２，図Ⅰ－１－５）

　産業大分類別の構成比をみると，「医療，福祉」が 27.7％（823 万人）と最も高く，次いで「宿泊業，飲食サービス業」が 17.5％（520 万人）となり，この２産業でサービス産業全体の４割を超えている。

（表Ⅰ－１－２，図Ⅰ－１－６）

4

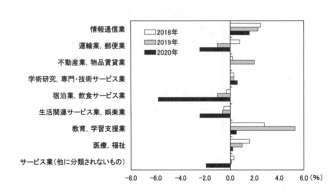

図Ⅰ−1−5
産業大分類別
平均事業従事者数の前年比の推移

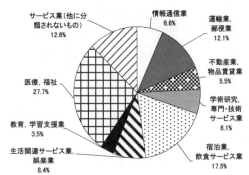

図Ⅰ−1−6
産業大分類別
平均事業従事者数の構成比
（2020年）

2　月別の状況

（1）売上高

　2020年各月のサービス産業の売上高の前年同月比の推移をみると，新型コロナウイルス感染症下において，3月以降の売上高は大きく減少した。特に，4月7日から新型インフルエンザ等対策特別措置法に基づく緊急事態宣言が発出されたことなどの影響により，5月の前年同月比は23.2%の減少となり，比較可能な2014年以降，最大の減少幅となった。5月に減少となったのは，主に「生活関連サービス業，娯楽業」，「運輸業，郵便業」，「宿泊業，飲食サービス業」の減少の寄与が大きかったことなどによる。

　また，「生活関連サービス業，娯楽業」及び「運輸業，郵便業」は全ての月で減少に寄与した。

（図Ⅰ−2−1，表Ⅰ−2−1）

図Ⅰ−2−1　サービス産業計の各月売上高の前年同月比及び寄与度の推移

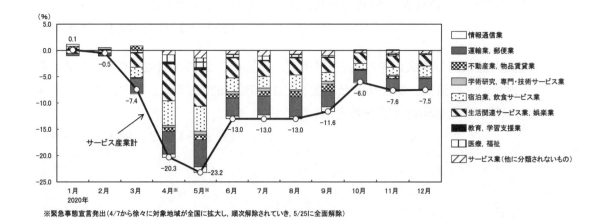

表Ｉ－２－１　産業大分類別各月売上高の前年同月比及び寄与度

| | | 2020年 | | | | | | | | | | | |
		1月	2月	3月	4月	5月	6月	7月	8月	9月	10月	11月	12月
前年同月比（％）	サービス産業計	0.1	-0.5	-7.4	-20.3	-23.2	-13.0	-13.0	-13.0	-11.6	-6.0	-7.6	-7.5
	情報通信業	2.4	-0.5	-1.3	-4.1	-7.3	-3.0	-4.6	-2.8	-5.1	-1.8	1.1	-0.6
	運輸業，郵便業	-2.8	-1.7	-15.6	-24.5	-29.3	-20.0	-19.8	-21.2	-17.6	-11.6	-13.1	-12.0
	不動産業，物品賃貸業	4.5	-0.8	6.5	-5.3	-7.3	-5.8	-7.4	-8.2	-9.9	-0.9	-3.6	-0.6
	学術研究，専門・技術サービス業	0.5	3.9	-1.0	-4.6	-8.6	-5.4	-7.7	-3.9	-6.3	-1.2	-2.7	-2.6
	宿泊業，飲食サービス業	0.6	-2.7	-29.5	-60.8	-58.9	-35.9	-29.1	-32.6	-23.7	-14.5	-19.0	-26.1
	生活関連サービス業，娯楽業	-4.5	-3.7	-26.7	-57.0	-55.8	-32.6	-25.1	-25.8	-26.0	-17.7	-18.6	-19.4
	教育，学習支援業	-0.9	2.8	-14.3	-38.7	-46.4	-14.6	-10.4	-13.6	-11.8	-1.5	-1.8	-3.7
	医療，福祉	0.0	0.6	-2.8	-9.4	-12.0	-4.2	-5.3	-4.0	-2.1	0.9	-3.7	-1.6
	サービス業(他に分類されないもの)	1.5	1.0	0.1	-8.0	-13.8	-6.7	-10.1	-7.0	-9.1	-4.1	-4.7	-5.2
寄与度	情報通信業	0.38	-0.07	-0.24	-0.60	-1.08	-0.48	-0.69	-0.41	-0.88	-0.27	0.16	-0.10
	運輸業，郵便業	-0.48	-0.30	-2.73	-4.35	-5.19	-3.43	-3.55	-3.75	-3.00	-2.10	-2.37	-2.05
	不動産業，物品賃貸業	0.55	-0.10	0.84	-0.69	-0.91	-0.75	-0.93	-1.05	-1.32	-0.11	-0.45	-0.08
	学術研究，専門・技術サービス業	0.04	0.31	-0.12	-0.39	-0.67	-0.47	-0.62	-0.30	-0.56	-0.10	-0.22	-0.23
	宿泊業，飲食サービス業	0.05	-0.19	-1.95	-4.71	-4.73	-2.59	-2.23	-2.81	-1.66	-1.09	-1.49	-2.07
	生活関連サービス業，娯楽業	-0.55	-0.42	-2.74	-6.95	-6.92	-3.79	-2.92	-3.21	-2.82	-2.04	-2.14	-2.17
	教育，学習支援業	-0.01	0.03	-0.13	-0.41	-0.45	-0.14	-0.11	-0.16	-0.12	-0.02	-0.02	-0.04
	医療，福祉	-0.01	0.09	-0.36	-1.39	-1.81	-0.62	-0.80	-0.60	-0.29	0.14	-0.56	-0.23
	サービス業(他に分類されないもの)	0.15	0.11	0.01	-0.83	-1.47	-0.71	-1.10	-0.71	-0.97	-0.45	-0.51	-0.55

（２）事業従事者数

　　2020 年各月において把握したサービス産業の事業従事者数の前年同月比の推移をみると，新型コロナウイルス感染症下において，3月以降の事業従事者数は減少した。特に，4月7日から新型インフルエンザ等対策特別措置法に基づく緊急事態宣言が発出されたことなどの影響により，5月の減少幅が最も大きくなった。5月に減少となったのは，「宿泊業，飲食サービス業」の減少の寄与が大きかったことなどによる。

　　また，「宿泊業，飲食サービス業」は全ての月で減少に寄与した。

（図Ｉ－２－２，表Ｉ－２－２）

図Ｉ－２－２　サービス産業計の各月事業従事者数の前年同月比及び寄与度の推移

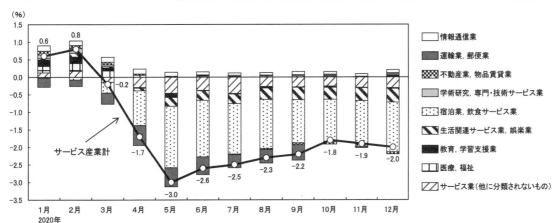

6

表Ⅰ－2－2　産業大分類別各月事業従事者数の前年同月比及び寄与度

| | | 2020年 | | | | | | | | | | | |
		1月	2月	3月	4月	5月	6月	7月	8月	9月	10月	11月	12月
前年同月比（％）	サービス産業計	0.6	0.8	-0.2	-1.7	-3.0	-2.6	-2.5	-2.3	-2.2	-1.8	-1.9	-2.0
	情報通信業	2.4	2.1	2.2	2.1	1.8	1.3	1.0	1.1	1.4	1.1	1.1	1.4
	運輸業，郵便業	-2.2	-1.5	-2.5	-4.6	-4.4	-4.2	-3.1	-3.2	-3.6	0.4	-0.2	0.6
	不動産業，物品賃貸業	2.1	1.6	1.5	0.7	0.5	0.3	-0.4	-0.7	-1.0	-1.5	-1.4	-1.1
	学術研究，専門・技術サービス業	1.6	2.3	0.9	0.0	-0.1	0.4	0.5	0.4	0.5	0.5	0.3	0.3
	宿泊業，飲食サービス業	-0.1	-0.4	-1.7	-5.4	-9.6	-8.8	-7.9	-7.6	-6.8	-6.6	-6.7	-7.6
	生活関連サービス業，娯楽業	0.5	1.3	0.5	-0.9	-3.0	-3.2	-3.2	-3.8	-4.2	-4.0	-4.4	-4.6
	教育，学習支援業	5.7	5.5	2.4	-0.7	-3.0	-0.3	-0.5	-1.4	-0.4	-0.5	0.0	-0.7
	医療，福祉	0.7	0.8	0.7	0.2	-0.1	0.1	0.1	0.1	0.1	-0.1	0.0	0.1
	サービス業（他に分類されないもの）	1.0	1.4	-1.1	-2.3	-3.6	-3.0	-3.7	-2.1	-2.2	-2.0	-2.4	-2.4
寄与度	情報通信業	0.15	0.13	0.14	0.14	0.12	0.09	0.07	0.07	0.09	0.07	0.07	0.09
	運輸業，郵便業	-0.26	-0.19	-0.32	-0.57	-0.54	-0.51	-0.38	-0.39	-0.44	0.05	-0.03	0.08
	不動産業，物品賃貸業	0.11	0.09	0.08	0.04	0.03	0.01	-0.02	-0.04	-0.06	-0.08	-0.08	-0.06
	学術研究，専門・技術サービス業	0.10	0.14	0.05	0.00	-0.01	0.02	0.03	0.03	0.03	0.03	0.02	0.02
	宿泊業，飲食サービス業	-0.02	-0.07	-0.31	-0.99	-1.75	-1.61	-1.44	-1.39	-1.23	-1.20	-1.23	-1.41
	生活関連サービス業，娯楽業	0.04	0.11	0.04	-0.08	-0.25	-0.27	-0.27	-0.32	-0.35	-0.34	-0.37	-0.39
	教育，学習支援業	0.19	0.18	0.08	-0.02	-0.10	-0.01	-0.02	-0.05	-0.01	-0.02	0.00	-0.02
	医療，福祉	0.18	0.22	0.18	0.06	-0.01	0.03	0.02	0.03	0.04	-0.03	-0.01	0.02
	サービス業（他に分類されないもの）	0.13	0.18	-0.14	-0.29	-0.46	-0.38	-0.47	-0.27	-0.28	-0.26	-0.30	-0.31

Ⅱ　業種別の概要

1　G　情報通信業

各月売上高の平均	4兆9126億円	（前年比	2.3%減）
平均事業従事者数	197万人	（　同	1.6%増）

（1）各月平均の状況

①各月売上高の平均

　2020年各月の「情報通信業」の売上高の平均は4兆9126億円となり，前年と比べると2.3%の減少となった。

　減少に寄与した主な分類は「映像・音声・文字情報制作業」（寄与度 4)-0.83），「通信業」（同-0.72）などとなっている。

（図Ⅱ－1－1－1，表Ⅱ－1－1－1）

注4）寄与度＝ $\frac{\text{当期当該産業分類の売上高－前期当該産業分類の売上高}}{\text{前期産業大分類の売上高}} \times 100$

事業従事者数についても同様。以下同じ。

図Ⅱ－1－1－1　情報通信業の各月売上高平均の前年比及び寄与度の推移

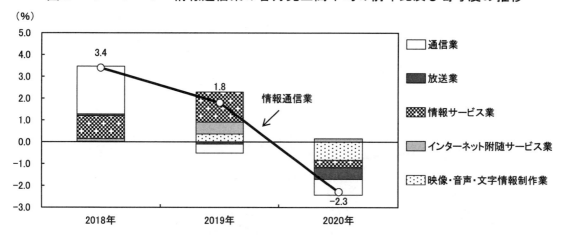

表Ⅱ－1－1－1　産業中分類別各月売上高平均の前年比及び寄与度の推移

	実数(百万円)			前年比(%)			寄与度		
	2018年	2019年	2020年	2018年	2019年	2020年	2018年	2019年	2020年
情報通信業	4,938,309	5,027,410	4,912,550	3.4	1.8	-2.3			
通信業	1,668,735	1,648,352	1,611,941	6.7	-1.2	-2.2	2.18	-0.41	-0.72
放送業	322,103	317,347	290,408	1.3	-1.5	-8.5	0.09	-0.10	-0.54
情報サービス業	2,157,478	2,226,056	2,208,968	2.4	3.2	-0.8	1.05	1.39	-0.34
インターネット附随サービス業	278,831	305,478	312,999	2.2	9.6	2.5	0.13	0.54	0.15
映像・音声・文字情報制作業	512,195	530,177	488,233	0.2	3.5	-7.9	0.02	0.36	-0.83

　産業中分類別に前年と比べると，「放送業」が8.5%の減少，「映像・音声・文字情報制作業」が7.9%の減少，「通信業」が2.2%の減少，「情報サービス業」が0.8%の減少となったが，「インターネット附随サービス業」が2.5%の増加となった。

（表Ⅱ－1－1－1，図Ⅱ－1－1－2）

　産業中分類別の構成比をみると，「情報サービス業」が45.0%（2兆2090億円）と最も高く，次いで「通信業」が32.8%（1兆6119億円）となり，この2分類で「情報通信業」の8割近くを占めている。

（表Ⅱ－1－1－1，図Ⅱ－1－1－3）

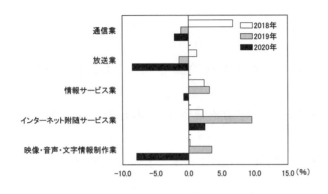

図Ⅱ－1－1－2
産業中分類別
各月売上高平均の前年比の推移

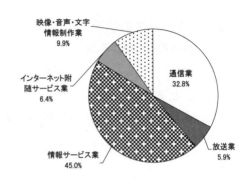

図Ⅱ－1－1－3
産業中分類別
各月売上高平均の
構成比（2020年）

②平均事業従事者数

　2020年各月において把握した「情報通信業」の事業従事者数の平均は197万人となり，前年と比べると1.6%の増加となった。

　増加に寄与した主な分類は「情報サービス業」（寄与度1.16）などとなっている。

（図Ⅱ－1－1－4，表Ⅱ－1－1－2）

図Ⅱ－1－1－4　情報通信業の平均事業従事者数の前年比及び寄与度の推移

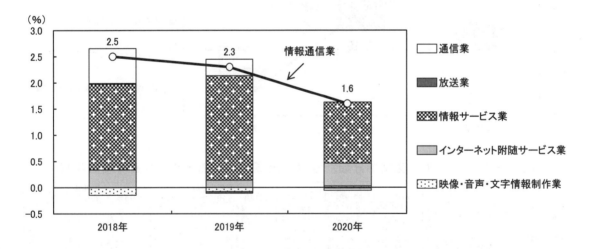

表Ⅱ－1－1－2　産業中分類別平均事業従事者数の前年比及び寄与度の推移

	実数（人）			前年比（%）			寄与度		
	2018年	2019年	2020年	2018年	2019年	2020年	2018年	2019年	2020年
情　報　通　信　業	1,898,300	1,942,500	1,973,100	2.5	2.3	1.6			
通　　　信　　　業	191,100	197,100	196,300	6.9	3.1	-0.4	0.66	0.32	-0.04
放　　　送　　　業	83,300	82,700	82,400	0.4	-0.7	-0.4	0.02	-0.03	-0.02
情　報　サ　ー　ビ　ス　業	1,256,500	1,294,400	1,317,000	2.5	3.0	1.7	1.64	2.00	1.16
インターネット附随サービス業	113,100	115,700	124,200	5.8	2.3	7.3	0.33	0.14	0.44
映像・音声・文字情報制作業	254,100	252,600	253,100	-1.1	-0.6	0.2	-0.15	-0.08	0.03

　産業中分類別に前年と比べると，「インターネット附随サービス業」が7.3%の増加，「情報サービス業」が1.7%の増加，「映像・音声・文字情報制作業」が0.2%の増加となったが，「通信業」及び「放送業」が0.4%の減少となった。

（表Ⅱ－1－1－2，図Ⅱ－1－1－5）

　産業中分類別の構成比をみると，「情報サービス業」が66.8%（132万人）と最も高く，「情報通信業」の6割を超えている。

（表Ⅱ－1－1－2，図Ⅱ－1－1－6）

図Ⅱ－1－1－5
産業中分類別
平均事業従事者数の前年比の推移

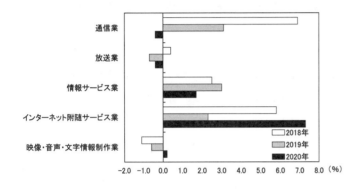

図Ⅱ－1－1－6
産業中分類別
平均事業従事者数の構成比
（2020年）

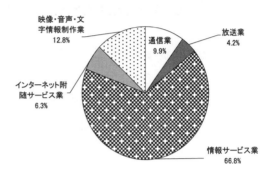

（2）月別の状況

①売上高

　2020年各月の「情報通信業」の売上高の前年同月比の推移をみると，1月，11月を除く全ての月で減少となり，5月の減少幅が最も大きくなった。5月に減少となったのは，「通信業」や「情報サービス業」の減少の寄与が大きかったことなどによる。

（図Ⅱ－1－2－1，表Ⅱ－1－2－1）

図Ⅱ－1－2－1　情報通信業の各月売上高の前年同月比及び寄与度の推移

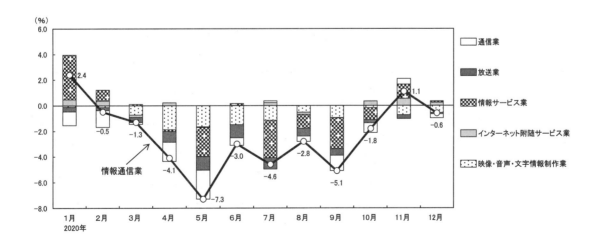

表Ⅱ－1－2－1　産業中分類別各月売上高の前年同月比及び寄与度

| | | | 2020年 | | | | | | | | | | | |
			1月	2月	3月	4月	5月	6月	7月	8月	9月	10月	11月	12月
前年同月比（％）		情　報　通　信　業	2.4	-0.5	-1.3	-4.1	-7.3	-3.0	-4.6	-2.8	-5.1	-1.8	1.1	-0.6
		通　　　信　　　業	-3.0	-3.6	-0.5	-4.3	-6.3	-1.9	0.4	-1.2	-4.1	-2.1	1.3	-1.0
		放　　　送　　　業	-5.0	-3.6	-7.6	-11.9	-15.4	-16.7	-13.1	-9.4	-9.1	-4.0	-4.5	-1.7
		情　報　サ　ー　ビ　ス　業	8.8	2.1	0.2	-0.4	-5.6	0.3	-6.8	-2.5	-4.8	-2.2	2.7	0.2
		インターネット附随サービス業	7.7	6.1	-3.4	3.3	-0.8	0.2	3.5	-2.7	-0.5	5.5	8.3	3.8
		映像・音声・文字情報制作業	-1.0	-1.3	-7.4	-15.5	-15.7	-15.0	-10.9	-4.9	-10.1	-1.7	-6.5	-5.5
寄与度		通　　　信　　　業	-1.08	-1.31	-0.14	-1.51	-2.25	-0.61	0.14	-0.42	-1.19	-0.76	0.44	-0.31
		放　　　送　　　業	-0.35	-0.23	-0.41	-0.83	-1.05	-1.02	-0.87	-0.61	-0.50	-0.26	-0.31	-0.10
		情　報　サ　ー　ビ　ス　業	3.48	0.85	0.10	-0.14	-2.28	0.15	-2.94	-1.07	-2.42	-0.92	1.11	0.12
		インターネット附随サービス業	0.47	0.36	-0.17	0.22	-0.05	0.01	0.22	-0.18	-0.03	0.35	0.54	0.23
		映像・音声・文字情報制作業	-0.11	-0.14	-0.73	-1.87	-1.65	-1.49	-1.15	-0.52	-0.95	-0.18	-0.73	-0.56

②事業従事者数

　2020年各月において把握した「情報通信業」の事業従事者数の前年同月比の推移をみると，全ての月で増加となった。また，「情報サービス業」及び「インターネット附随サービス業」が全ての月で増加に寄与した。

（図Ⅱ－1－2－2，表Ⅱ－1－2－2）

図Ⅱ－1－2－2　情報通信業の各月事業従事者数の前年同月比及び寄与度の推移

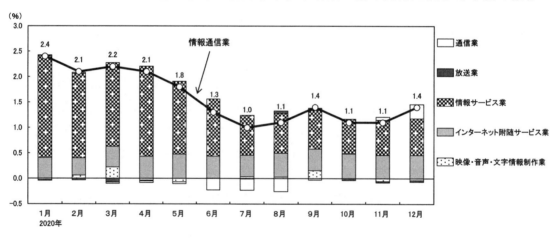

表Ⅱ－1－2－2　産業中分類別各月事業従事者数の前年同月比及び寄与度

| | | | 2020年 | | | | | | | | | | | |
			1月	2月	3月	4月	5月	6月	7月	8月	9月	10月	11月	12月
前年同月比（％）		情　報　通　信　業	2.4	2.1	2.2	2.1	1.8	1.3	1.0	1.1	1.4	1.1	1.1	1.4
		通　　　信　　　業	0.1	0.2	-0.3	-0.3	-0.4	-2.2	-2.1	-2.5	-0.3	0.0	0.6	2.8
		放　　　送　　　業	-0.4	-0.7	-1.7	-0.4	0.0	0.0	-0.2	1.1	1.1	-0.8	-0.6	-0.7
		情　報　サ　ー　ビ　ス　業	3.0	2.5	2.5	2.7	2.1	1.7	1.2	1.2	1.1	1.0	1.0	1.1
		インターネット附随サービス業	6.8	5.6	6.8	7.3	8.0	7.3	7.2	8.0	7.1	8.2	7.7	7.6
		映像・音声・文字情報制作業	-0.2	0.5	1.7	-0.3	-0.5	0.0	0.3	0.2	1.2	0.0	-0.4	-0.3
寄与度		通　　　信　　　業	0.01	0.02	-0.03	-0.03	-0.04	-0.23	-0.22	-0.26	-0.03	0.00	0.06	0.28
		放　　　送　　　業	-0.02	-0.03	-0.07	-0.02	0.00	0.00	-0.01	0.05	0.05	-0.04	-0.03	-0.03
		情　報　サ　ー　ビ　ス　業	2.01	1.66	1.64	1.77	1.43	1.13	0.78	0.78	0.75	0.68	0.69	0.72
		インターネット附随サービス業	0.41	0.34	0.40	0.44	0.48	0.43	0.42	0.47	0.43	0.49	0.46	0.46
		映像・音声・文字情報制作業	-0.03	0.06	0.23	-0.04	-0.07	0.01	0.04	0.03	0.16	0.00	-0.06	-0.04

2　H　運輸業，郵便業

各月売上高の平均	4兆7291億円	（前年比	15.8%減）
平均事業従事者数	359万人	（　同	2.4%減）

（1）各月平均の状況

①各月売上高の平均

　　2020年各月の「運輸業，郵便業」の売上高の平均は4兆7291億円となり，前年と比べると15.8%の減少となった。

　　減少に寄与した主な分類は「鉄道業」（寄与度-4.74），「運輸に附帯するサービス業」（同-3.05）などとなっている。

（図Ⅱ－2－1－1，表Ⅱ－2－1－1）

図Ⅱ－2－1－1　運輸業，郵便業の各月売上高平均の前年比及び寄与度の推移

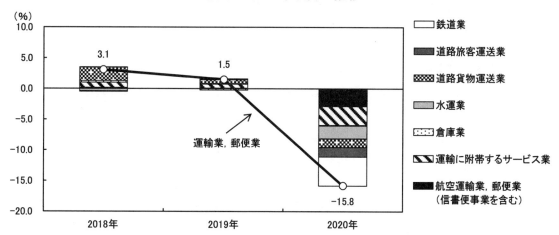

表Ⅱ－2－1－1　産業中分類別各月売上高平均の前年比及び寄与度の推移

	実数（百万円）			前年比（%）			寄与度		
	2018年	2019年	2020年	2018年	2019年	2020年	2018年	2019年	2020年
運輸業，郵便業	5,536,722	5,619,100	4,729,145	3.1	1.5	-15.8			
鉄道業	670,055	675,041	408,865	-0.2	0.7	-39.4	-0.02	0.09	-4.74
道路旅客運送業	268,299	272,056	186,153	-1.6	1.4	-31.6	-0.08	0.07	-1.53
道路貨物運送業	2,083,139	2,118,778	2,037,681	6.1	1.7	-3.8	2.23	0.64	-1.44
水運業	547,785	551,731	433,599	-3.5	0.7	-21.4	-0.37	0.07	-2.10
倉庫業	350,367	338,186	332,604	4.6	-3.5	-1.7	0.29	-0.22	-0.10
運輸に附帯するサービス業	1,318,794	1,353,893	1,182,312	3.6	2.7	-12.7	0.84	0.63	-3.05
航空運輸業，郵便業（信書便事業を含む）	304,565	309,415	147,931	2.9	1.6	-52.2	0.16	0.09	-2.87

　　産業中分類別に前年と比べると，「航空運輸業，郵便業（信書便事業を含む）」が52.2%の減少，「鉄道業」が39.4%の減少，「道路旅客運送業」が31.6%の減少，「水運業」が21.4%の減少，「運輸に附帯するサービス業」が12.7%の減少，「道路貨物運送業」が3.8%の減少，「倉庫業」が1.7%の減少となった。

（表Ⅱ－2－1－1，図Ⅱ－2－1－2）

　　産業中分類別の構成比をみると，「道路貨物運送業」が43.1%（2兆377億円）と最も高く，次いで「運輸に附帯するサービス業」が25.0%（1兆1823億円）となり，この2分類で「運輸業，郵便業」の6割を超えている。

（表Ⅱ－2－1－1，図Ⅱ－2－1－3）

図Ⅱ－2－1－2
産業中分類別
各月売上高平均の前年比の推移

図Ⅱ－2－1－3
産業中分類別
各月売上高平均の構成比
（2020年）

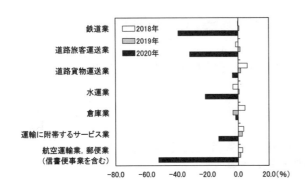

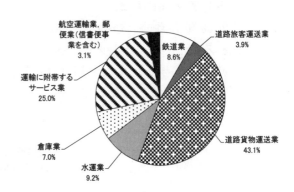

②平均事業従事者数

2020年各月において把握した「運輸業，郵便業」の事業従事者数の平均は359万人となり，前年と比べると2.4%の減少となった。

減少に寄与した主な分類は「道路貨物運送業」（寄与度-1.85）などとなっている。

（図Ⅱ－2－1－4，表Ⅱ－2－1－2）

図Ⅱ－2－1－4　運輸業，郵便業の平均事業従事者数の前年比及び寄与度の推移

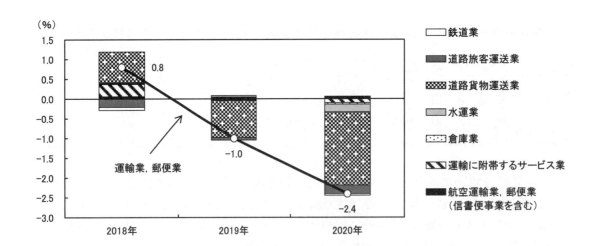

表Ⅱ－2－1－2　産業中分類別平均事業従事者数の前年比及び寄与度の推移

	実数(人)			前年比(%)			寄与度		
	2018年	2019年	2020年	2018年	2019年	2020年	2018年	2019年	2020年
運輸業，郵便業	3,717,700	3,679,300	3,591,600	0.8	-1.0	-2.4			
鉄道業	261,800	261,800	260,300	-1.1	0.0	-0.6	-0.08	0.00	-0.04
道路旅客運送業	524,200	521,700	513,500	-1.4	-0.5	-1.6	-0.21	-0.07	-0.22
道路貨物運送業	2,115,700	2,080,900	2,012,900	1.4	-1.6	-3.3	0.78	-0.94	-1.85
水運業	65,300	66,700	59,400	1.4	2.1	-10.9	0.02	0.04	-0.20
倉庫業	185,600	184,900	183,600	0.4	-0.4	-0.7	0.02	-0.02	-0.04
運輸に附帯するサービス業	508,200	507,400	503,700	2.3	-0.2	-0.7	0.31	-0.02	-0.10
航空運輸業，郵便業(信書便事業を含む)	54,200	55,900	58,200	4.0	3.1	4.1	0.06	0.05	0.06

　産業中分類別に前年と比べると，「水運業」が10.9％の減少，「道路貨物運送業」が3.3％の減少，「道路旅客運送業」が1.6％の減少，「倉庫業」及び「運輸に附帯するサービス業」が0.7％の減少，「鉄道業」が0.6％の減少となったが，「航空運輸業，郵便業（信書便事業を含む）」が4.1％の増加となった。

（表Ⅱ－2－1－2，図Ⅱ－2－1－5）

　産業中分類別の構成比をみると，「道路貨物運送業」が56.0％（201万人）と最も高く，「運輸業，郵便業」の5割を超えている。

（表Ⅱ－2－1－2，図Ⅱ－2－1－6）

<table>
<tr>
<td align="center">

図Ⅱ－2－1－5
産業中分類別
平均事業従事者数の前年比の推移

</td>
<td align="center">

図Ⅱ－2－1－6
産業中分類別
平均事業従事者数の構成比
（2020年）

</td>
</tr>
<tr>
<td>

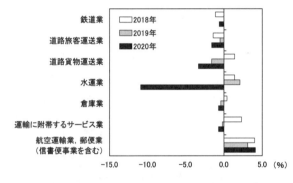

</td>
<td>

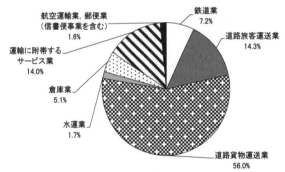

</td>
</tr>
</table>

（2）月別の状況

①売上高

　2020年各月の「運輸業，郵便業」の売上高の前年同月比の推移をみると，全ての月で減少となり，5月の減少幅が最も大きくなった。これは，主に「鉄道業」が減少に寄与したことなどによる。

（図Ⅱ－2－2－1，表Ⅱ－2－2－1）

図Ⅱ－2－2－1　運輸業，郵便業の各月売上高の前年同月比及び寄与度の推移

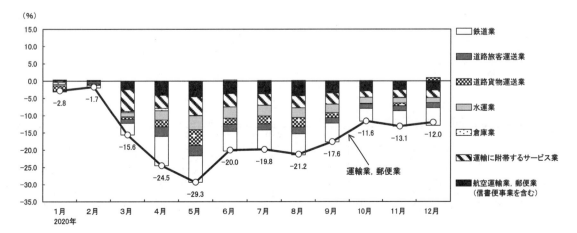

14

表Ⅱ－2－2－1　産業中分類別各月売上高の前年同月比及び寄与度

		2020年											
		1月	2月	3月	4月	5月	6月	7月	8月	9月	10月	11月	12月
前年同月比（％）	運輸業，郵便業	-2.8	-1.7	-15.6	-24.5	-29.3	-20.0	-19.8	-21.2	-17.6	-11.6	-13.1	-12.0
	鉄道業	-1.2	-6.3	-30.1	-64.9	-63.8	-49.4	-48.4	-49.0	-43.0	-32.6	-38.3	-42.4
	道路旅客運送業	3.6	-1.8	-27.0	-55.8	-59.5	-40.9	-35.0	-39.1	-31.9	-26.1	-28.8	-29.8
	道路貨物運送業	-4.2	-0.8	-2.2	-5.0	-12.1	-4.5	-6.0	-7.4	-4.1	-0.4	-2.1	2.2
	水運業	-4.9	-3.1	-14.8	-27.7	-38.7	-32.7	-30.6	-27.0	-24.3	-17.6	-15.7	-15.9
	倉庫業	-8.1	-4.2	-6.5	-10.1	-1.7	5.0	2.6	2.7	0.9	1.2	-1.0	1.3
	運輸に附帯するサービス業	-1.5	0.9	-19.6	-18.3	-23.2	-16.4	-14.5	-15.2	-13.7	-7.8	-9.2	-9.1
	航空運輸業，郵便業（信書便事業を含む）	3.2	-4.4	-51.4	-78.2	-82.7	-68.1	-63.3	-65.7	-60.0	-50.3	-46.4	-49.7
寄与度	鉄道業	-0.15	-0.74	-3.33	-8.51	-7.66	-5.64	-5.83	-6.05	-5.42	-3.71	-4.50	-5.19
	道路旅客運送業	0.17	-0.08	-1.14	-2.73	-2.99	-2.06	-1.73	-2.00	-1.56	-1.30	-1.46	-1.42
	道路貨物運送業	-1.61	-0.32	-0.75	-1.96	-4.57	-1.74	-2.32	-2.71	-1.51	-0.16	-0.81	0.83
	水運業	-0.48	-0.30	-1.24	-2.74	-4.06	-3.32	-3.11	-2.87	-2.43	-1.78	-1.53	-1.46
	倉庫業	-0.52	-0.28	-0.35	-0.67	-0.10	0.29	0.15	0.15	0.05	0.07	-0.06	0.08
	運輸に附帯するサービス業	-0.35	0.21	-6.30	-3.79	-5.41	-3.87	-3.31	-3.47	-3.23	-1.85	-2.22	-2.19
	航空運輸業，郵便業（信書便事業を含む）	0.17	-0.23	-2.46	-4.10	-4.53	-3.62	-3.70	-4.29	-3.49	-2.85	-2.55	-2.65

②事業従事者数

2020年各月において把握した「運輸業，郵便業」の事業従事者数の前年同月比の推移をみると，10月，12月を除く全ての月で減少となった。これは，主に「道路貨物運送業」が減少に寄与したことなどによる。

（図Ⅱ－2－2－2，表Ⅱ－2－2－2）

図Ⅱ－2－2－2　運輸業，郵便業の各月事業従事者数の前年同月比及び寄与度の推移

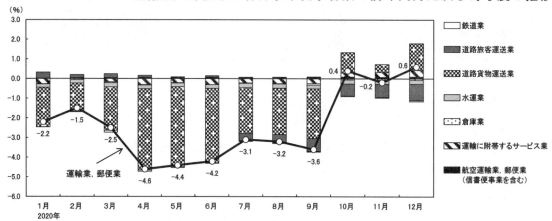

表Ⅱ－2－2－2　産業中分類別各月事業従事者数の前年同月比及び寄与度

		2020年											
		1月	2月	3月	4月	5月	6月	7月	8月	9月	10月	11月	12月
前年同月比（％）	運輸業，郵便業	-2.2	-1.5	-2.5	-4.6	-4.4	-4.2	-3.1	-3.2	-3.6	0.4	-0.2	0.6
	鉄道業	-0.1	-0.5	-1.4	-1.0	-0.6	-0.3	-0.5	-0.5	-0.5	-0.2	-0.3	-0.8
	道路旅客運送業	2.1	1.1	1.4	0.7	0.2	0.5	-2.6	-2.9	-4.5	-4.3	-4.7	-5.8
	道路貨物運送業	-3.6	-2.5	-3.8	-7.2	-7.2	-6.7	-4.1	-4.2	-4.5	1.9	0.7	2.4
	水運業	-9.8	-10.6	-12.4	-10.4	-10.5	-10.3	-11.9	-11.5	-10.6	-11.0	-11.0	-10.5
	倉庫業	-0.2	-1.0	-0.9	-0.5	-0.3	0.3	-0.4	-0.3	-1.5	-1.1	-1.3	-1.5
	運輸に附帯するサービス業	-1.9	0.0	-1.3	-2.3	-1.5	-2.3	-1.6	-1.8	-1.8	1.4	1.8	2.4
	航空運輸業，郵便業（信書便事業を含む）	1.1	2.4	3.4	4.3	3.6	3.6	4.6	4.8	6.1	5.7	5.0	6.1
寄与度	鉄道業	-0.01	-0.03	-0.10	-0.07	-0.04	-0.02	-0.04	-0.04	-0.04	-0.02	-0.02	-0.05
	道路旅客運送業	0.30	0.16	0.19	0.10	0.03	0.07	-0.37	-0.42	-0.65	-0.62	-0.68	-0.83
	道路貨物運送業	-2.01	-1.42	-2.21	-4.13	-4.06	-3.78	-2.32	-2.36	-2.53	1.04	0.41	1.36
	水運業	-0.18	-0.19	-0.22	-0.19	-0.19	-0.19	-0.22	-0.21	-0.19	-0.20	-0.20	-0.19
	倉庫業	-0.01	-0.05	-0.04	-0.02	-0.01	0.02	-0.02	-0.01	-0.08	-0.06	-0.07	-0.07
	運輸に附帯するサービス業	-0.27	0.01	-0.17	-0.31	-0.21	-0.31	-0.22	-0.25	-0.24	0.21	0.25	0.34
	航空運輸業，郵便業（信書便事業を含む）	0.02	0.03	0.05	0.06	0.05	0.05	0.07	0.07	0.09	0.09	0.08	0.09

3 K 不動産業，物品賃貸業

各月売上高の平均	3兆9785億円	（前年比	3.1%減）
平均事業従事者数	163万人	（　同	同水準）

（1）各月平均の状況

①各月売上高の平均

　　2020年各月の「不動産業，物品賃貸業」の売上高の平均は3兆9785億円となり，前年と比べると3.1%の減少となった。

　　減少に寄与した主な分類は「不動産取引業」（寄与度-1.80）などとなっている。

（図Ⅱ－3－1－1，表Ⅱ－3－1－1）

図Ⅱ－3－1－1　不動産業，物品賃貸業の各月売上高平均の前年比及び寄与度の推移

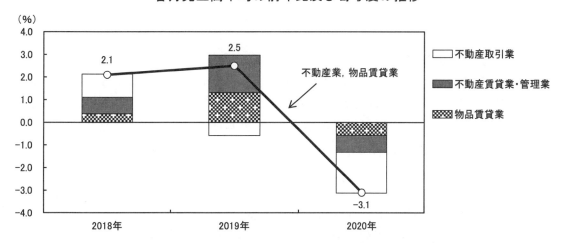

表Ⅱ－3－1－1　産業中分類別各月売上高平均の前年比及び寄与度の推移

	実数（百万円）			前年比（%）			寄与度		
	2018年	2019年	2020年	2018年	2019年	2020年	2018年	2019年	2020年
不動産業，物品賃貸業	4,008,120	4,106,868	3,978,504	2.1	2.5	-3.1			
不動産取引業	1,175,811	1,152,560	1,078,459	3.6	-2.0	-6.4	1.03	-0.58	-1.80
不動産賃貸業・管理業	1,785,817	1,852,428	1,821,461	1.6	3.7	-1.7	0.72	1.66	-0.75
物品賃貸業	1,049,470	1,101,881	1,078,585	1.5	5.0	-2.1	0.38	1.31	-0.57

　　産業中分類別に前年と比べると，「不動産取引業」が6.4%の減少，「物品賃貸業」が2.1%の減少，「不動産賃貸業・管理業」が1.7%の減少となった。

（表Ⅱ－3－1－1，図Ⅱ－3－1－2）

　　産業中分類別の構成比をみると，「不動産賃貸業・管理業」が45.8%（1兆8215億円）と最も高く，次いで「物品賃貸業」が27.1%（1兆786億円），「不動産取引業」が27.1%（1兆785億円）となっている。

（表Ⅱ－3－1－1，図Ⅱ－3－1－3）

図Ⅱ－3－1－2
産業中分類別
各月売上高平均の前年比の推移

図Ⅱ－3－1－3
産業中分類別
各月売上高平均の
構成比（2020年）

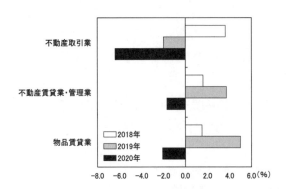

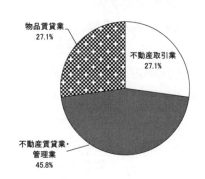

②平均事業従事者数

　2020年各月において把握した「不動産業，物品賃貸業」の事業従事者数の平均は163万人となり，前年と同水準となった。

　増加に寄与した分類は，「不動産取引業」（寄与度 0.13），減少に寄与した主な分類は「物品賃貸業」（同-0.05）などとなっている。

（図Ⅱ－3－1－4，表Ⅱ－3－1－2）

図Ⅱ－3－1－4　不動産業，物品賃貸業の
平均事業従事者数の前年比及び寄与度の推移

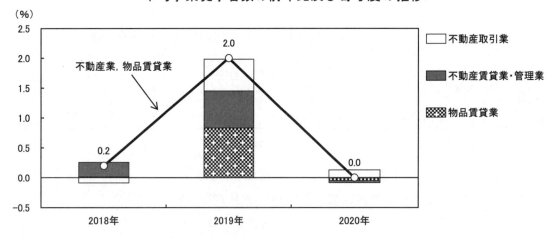

表Ⅱ－3－1－2　産業中分類別平均事業従事者数の前年比及び寄与度の推移

	実数(人)			前年比(%)			寄与度		
	2018年	2019年	2020年	2018年	2019年	2020年	2018年	2019年	2020年
不動産業，物品賃貸業	1,599,100	1,631,000	1,631,600	0.2	2.0	0.0			
不動産取引業	330,100	338,600	340,700	-0.4	2.6	0.6	-0.09	0.53	0.13
不動産賃貸業・管理業	936,300	946,200	945,600	0.4	1.1	-0.1	0.24	0.62	-0.04
物品賃貸業	332,800	346,100	345,300	0.1	4.0	-0.2	0.01	0.83	-0.05

　産業中分類別に前年と比べると,「不動産取引業」が0.6%の増加となったが,「物品賃貸業」が0.2%の減少,「不動産賃貸業・管理業」が0.1%の減少となった。

(表Ⅱ－3－1－2,図Ⅱ－3－1－5)

　産業中分類別の構成比をみると,「不動産賃貸業・管理業」が58.0%(95万人)と最も高く,「不動産業,物品賃貸業」の6割近くを占めている。

(表Ⅱ－3－1－2,図Ⅱ－3－1－6)

図Ⅱ－3－1－5
産業中分類別
平均事業従事者数の前年比の推移

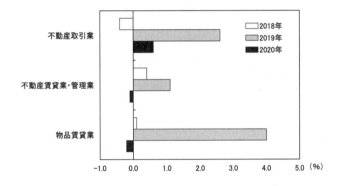

図Ⅱ－3－1－6
産業中分類別
平均事業従事者数の構成比
(2020年)

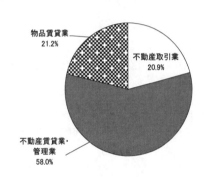

(2) 月別の状況

①売上高

　2020年各月の「不動産業,物品賃貸業」の売上高の前年同月比の推移をみると,1月,3月に増加となったものの,それ以外の月では減少となり,9月の減少幅が最も大きくなった。これは,主に「不動産取引業」が減少に寄与したことなどによる。

(図Ⅱ－3－2－1,表Ⅱ－3－2－1)

図Ⅱ－3－2－1　不動産業,物品賃貸業の各月売上高の
前年同月比及び寄与度の推移

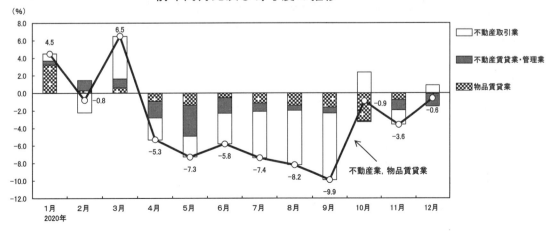

18

表Ⅱ－３－２－１　産業中分類別各月売上高の前年同月比及び寄与度

		2020年											
		1月	2月	3月	4月	5月	6月	7月	8月	9月	10月	11月	12月
前年同月比（％）	不動産業，物品賃貸業	4.5	-0.8	6.5	-5.3	-7.3	-5.8	-7.4	-8.2	-9.9	-0.9	-3.6	-0.6
	不動産取引業	3.7	-7.5	12.7	-8.7	-9.2	-11.9	-19.4	-23.7	-24.4	11.4	-7.0	3.0
	不動産賃貸業・管理業	0.9	2.7	2.6	-4.1	-7.5	-4.0	-2.1	-1.2	-1.6	-0.2	-2.5	-3.2
	物品賃貸業	11.8	1.1	2.7	-3.6	-5.1	-2.0	-4.2	-5.1	-6.1	-10.1	-2.5	-0.4
寄与度	不動産取引業	0.81	-2.22	4.85	-2.52	-2.38	-3.50	-5.29	-6.21	-7.61	2.38	-1.63	0.89
	不動産賃貸業・管理業	0.45	1.18	1.02	-1.88	-3.53	-1.78	-0.96	-0.57	-0.68	-0.11	-1.20	-1.41
	物品賃貸業	3.25	0.29	0.62	-0.93	-1.37	-0.52	-1.14	-1.40	-1.61	-3.17	-0.75	-0.10

②事業従事者数

　2020年各月において把握した「不動産業，物品賃貸業」の事業従事者数の前年同月比の推移をみると，１月から６月まで増加となり，１月の増加幅が最も大きくなったが，７月から12月まで減少となり，10月の減少幅が最も大きくなった。

（図Ⅱ－３－２－２，表Ⅱ－３－２－２）

図Ⅱ－３－２－２　不動産業，物品賃貸業の各月事業従事者数の
前年同月比及び寄与度の推移

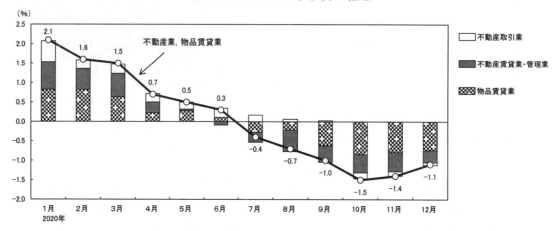

表Ⅱ－３－２－２　産業中分類別各月事業従事者数の前年同月比及び寄与度

		2020年											
		1月	2月	3月	4月	5月	6月	7月	8月	9月	10月	11月	12月
前年同月比（％）	不動産業，物品賃貸業	2.1	1.6	1.5	0.7	0.5	0.3	-0.4	-0.7	-1.0	-1.5	-1.4	-1.1
	不動産取引業	2.6	1.1	1.1	1.0	0.9	1.1	0.8	0.3	0.1	-0.7	-0.6	-0.3
	不動産賃貸業・管理業	1.2	0.9	1.0	0.5	0.1	-0.1	-0.5	-1.0	-0.7	-0.8	-0.8	-0.5
	物品賃貸業	3.9	3.9	3.1	1.1	1.3	1.5	-1.3	-1.4	-2.9	-3.9	-3.7	-3.5
寄与度	不動産取引業	0.54	0.22	0.24	0.22	0.18	0.23	0.17	0.07	0.03	-0.15	-0.12	-0.07
	不動産賃貸業・管理業	0.71	0.54	0.59	0.28	0.04	-0.09	-0.26	-0.55	-0.42	-0.47	-0.49	-0.31
	物品賃貸業	0.83	0.82	0.64	0.23	0.28	0.11	-0.27	-0.21	-0.62	-0.84	-0.79	-0.74

4　L　学術研究，専門・技術サービス業

各月売上高の平均	2兆6514億円	（前年比	3.2%減）
平均事業従事者数	180万人	（　同	0.6%増）

（1）各月平均の状況

①各月売上高の平均

　2020年各月の「学術研究，専門・技術サービス業」の売上高の平均は2兆6514億円となり，前年と比べると3.2%の減少となった。

　減少に寄与した主な分類は「広告業」（寄与度-3.59）などとなっている。

（図Ⅱ－4－1－1，表Ⅱ－4－1－1）

図Ⅱ－4－1－1　学術研究，専門・技術サービス業の
各月売上高平均の前年比及び寄与度の推移

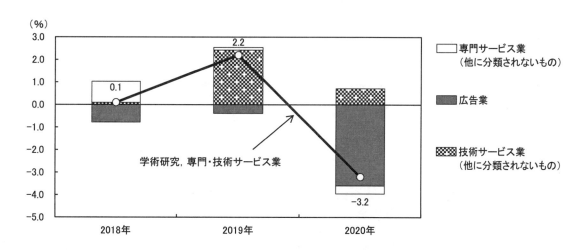

表Ⅱ－4－1－1　産業中分類別各月売上高平均の前年比及び寄与度の推移

	実数（百万円）			前年比（%）			寄与度		
	2018年	2019年	2020年	2018年	2019年	2020年	2018年	2019年	2020年
学術研究，専門・技術サービス業	2,681,316	2,740,073	2,651,429	0.1	2.2	-3.2			
専門サービス業（他に分類されないもの）	802,210	805,319	795,597	3.2	0.4	-1.2	0.93	0.12	-0.35
広　　告　　業	792,138	781,839	683,368	-2.6	-1.3	-12.6	-0.78	-0.38	-3.59
技術サービス業（他に分類されないもの）	1,087,964	1,152,915	1,172,464	0.2	6.0	1.7	0.10	2.42	0.71

　産業中分類別に前年と比べると，「広告業」が12.6%の減少，「専門サービス業（他に分類されないもの）」が1.2%の減少となったが，「技術サービス業（他に分類されないもの）」が1.7%の増加となった。

（表Ⅱ－4－1－1，図Ⅱ－4－1－2）

　産業中分類別の構成比をみると，「技術サービス業（他に分類されないもの）」が44.2%（1兆1725億円）と最も高く，次いで「専門サービス業（他に分類されないもの）」が30.0%（7956億円），「広告業」が25.8%（6834億円）となっている。

（表Ⅱ－4－1－1，図Ⅱ－4－1－3）

図Ⅱ－4－1－2
産業中分類別
各月売上高平均の前年比の推移

図Ⅱ－4－1－3
産業中分類別
各月売上高平均の
構成比（2020年）

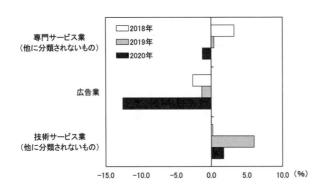

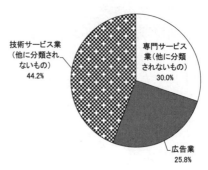

②平均事業従事者数

　2020年各月において把握した「学術研究，専門・技術サービス業」の事業従事者数の平均は180万人となり，前年と比べると0.6%の増加となった。

　増加に寄与した主な分類は「専門サービス業（他に分類されないもの）」（寄与度0.34）などとなっている。

（図Ⅱ－4－1－4，表Ⅱ－4－1－2）

図Ⅱ－4－1－4　学術研究，専門・技術サービス業の
平均事業従事者数の前年比及び寄与度の推移

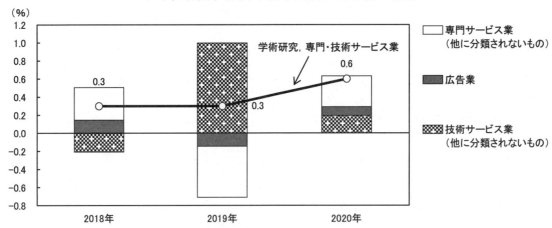

表Ⅱ－4－1－2　産業中分類別平均事業従事者数の前年比及び寄与度の推移

	実数（人）			前年比（%）			寄与度		
	2018年	2019年	2020年	2018年	2019年	2020年	2018年	2019年	2020年
学術研究，専門・技術サービス業	1,784,600	1,789,600	1,800,900	0.3	0.3	0.6			
専門サービス業（他に分類されないもの）	736,600	726,500	732,600	0.9	-1.4	0.8	0.36	-0.57	0.34
広告業	145,100	142,500	144,200	1.8	-1.8	1.2	0.15	-0.15	0.09
技術サービス業（他に分類されないもの）	902,800	920,600	924,100	-0.4	2.0	0.4	-0.21	1.00	0.20

　産業中分類別に前年と比べると，「広告業」が1.2%の増加，「専門サービス業（他に分類されないもの）」が0.8%の増加，「技術サービス業（他に分類されないもの）」が0.4%の増加となった。

（表Ⅱ－4－1－2，図Ⅱ－4－1－5）

　産業中分類別の構成比をみると，「技術サービス業（他に分類されないもの）」が51.3%（92万人）と最も高く，「学術研究，専門・技術サービス業」の5割を超えている。

（表Ⅱ－4－1－2，図Ⅱ－4－1－6）

図Ⅱ－4－1－5
産業中分類別
平均事業従事者数の前年比の推移

図Ⅱ－4－1－6
産業中分類別
平均事業従事者数の構成比
（2020年）

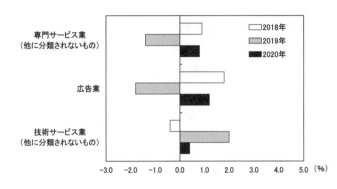

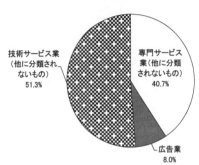

（2）月別の状況
①売上高

　2020年各月の「学術研究，専門・技術サービス業」の売上高の前年同月比の推移をみると，1月，2月に増加となったものの，それ以外の月では減少となり，5月の減少幅が最も大きくなった。これは，主に「広告業」が減少に寄与したことなどによる。

（図Ⅱ－4－2－1，表Ⅱ－4－2－1）

図Ⅱ－4－2－1　学術研究，専門・技術サービス業の各月売上高の
前年同月比及び寄与度の推移

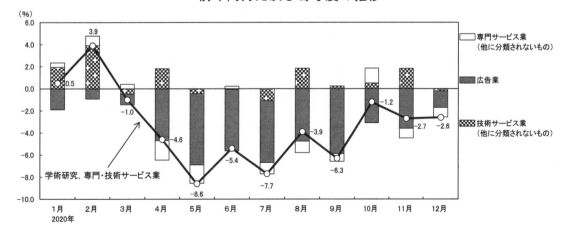

22

表Ⅱ－4－2－1　産業中分類別各月売上高の前年同月比及び寄与度

		2020年											
		1月	2月	3月	4月	5月	6月	7月	8月	9月	10月	11月	12月
前年同月比（％）	学術研究，専門・技術サービス業	0.5	3.9	-1.0	-4.6	-8.6	-5.4	-7.7	-3.9	-6.3	-1.2	-2.7	-2.6
	専門サービス業（他に分類されないもの）	1.4	2.9	1.7	-5.7	-5.0	0.8	-3.2	-3.2	-2.6	4.4	-2.9	-3.0
	広　告　業	-5.7	-3.3	-3.9	-16.0	-23.1	-20.2	-18.8	-16.7	-20.6	-10.3	-11.6	-5.5
	技術サービス業（他に分類されないもの）	5.2	9.4	-1.0	4.5	-1.2	-0.1	-2.8	4.8	0.5	1.3	4.8	-0.4
寄与度	専門サービス業（他に分類されないもの）	0.40	0.87	0.41	-1.75	-1.66	0.22	-1.02	-1.04	-0.70	1.35	-0.88	-0.86
	広　告　業	-1.88	-0.92	-0.95	-4.70	-6.44	-5.57	-5.59	-4.76	-5.88	-3.09	-3.60	-1.51
	技術サービス業（他に分類されないもの）	1.94	3.92	-0.50	1.81	-0.45	-0.06	-1.09	1.84	0.24	0.51	1.82	-0.20

②事業従事者数

　2020年各月において把握した「学術研究，専門・技術サービス業」の事業従事者数の前年同月比の推移をみると，4月は同水準，5月は減少となったものの，それ以外の月では，増加となった。また，「専門サービス業（他に分類されないもの）」が全ての月で増加に寄与した。

（図Ⅱ－4－2－2，表Ⅱ－4－2－2）

図Ⅱ－4－2－2　学術研究，専門・技術サービス業の各月事業従事者数の前年同月比及び寄与度の推移

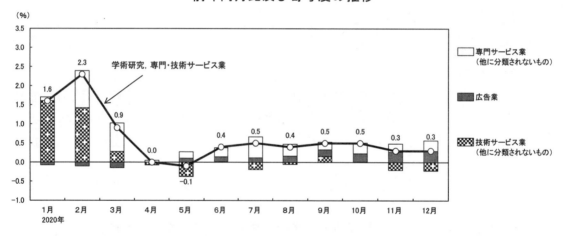

表Ⅱ－4－2－2　産業中分類別各月事業従事者数の前年同月比及び寄与度

		2020年											
		1月	2月	3月	4月	5月	6月	7月	8月	9月	10月	11月	12月
前年同月比（％）	学術研究，専門・技術サービス業	1.6	2.3	0.9	0.0	-0.1	0.4	0.5	0.4	0.5	0.5	0.3	0.3
	専門サービス業（他に分類されないもの）	0.2	2.4	1.8	0.1	0.4	0.6	1.4	0.8	0.5	0.7	0.5	0.7
	広　告　業	-0.9	-1.3	-1.8	-0.1	1.3	1.6	1.5	2.0	2.2	2.7	3.4	3.8
	技術サービス業（他に分類されないもの）	3.2	2.8	0.5	-0.1	-0.7	0.0	-0.4	-0.1	0.3	0.0	-0.4	-0.4
寄与度	専門サービス業（他に分類されないもの）	0.10	0.98	0.74	0.05	0.17	0.23	0.55	0.31	0.20	0.28	0.22	0.27
	広　告　業	-0.07	-0.10	-0.15	-0.01	0.11	0.13	0.12	0.16	0.17	0.22	0.27	0.30
	技術サービス業（他に分類されないもの）	1.60	1.42	0.28	-0.06	-0.38	0.02	-0.19	-0.05	0.16	0.01	-0.21	-0.22

5　M　宿泊業，飲食サービス業

各月売上高の平均	1兆7379億円	（前年比　　28.1％減）
平均事業従事者数	520万人	（　同　　　5.8％減）

（1）各月平均の状況

　①各月売上高の平均

　　2020年各月の「宿泊業，飲食サービス業」の売上高の平均は1兆7379億円となり，前年と比べると28.1％の減少となった。

　　減少に寄与した主な分類は「飲食店」（寄与度-19.22）などとなっている。

（図Ⅱ－5－1－1，表Ⅱ－5－1－1）

図Ⅱ－5－1－1　宿泊業，飲食サービス業の
各月売上高平均の前年比及び寄与度の推移

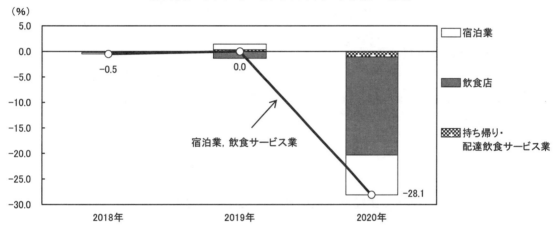

表Ⅱ－5－1－1　産業中分類別各月売上高平均の前年比及び寄与度の推移

	実数（百万円）			前年比（%）			寄与度		
	2018年	2019年	2020年	2018年	2019年	2020年	2018年	2019年	2020年
宿泊業，飲食サービス業	2,418,252	2,417,667	1,737,923	-0.5	0.0	-28.1			
宿　泊　業	444,271	470,601	281,942	-1.5	5.9	-40.1	-0.27	1.09	-7.80
飲　食　店	1,742,223	1,709,803	1,245,219	-0.2	-1.9	-27.2	-0.15	-1.34	-19.22
持ち帰り・配達飲食サービス業	229,039	237,264	210,762	-0.5	3.6	-11.2	-0.05	0.34	-1.10

　　産業中分類別に前年と比べると，「宿泊業」が40.1％の減少，「飲食店」が27.2％の減少，「持ち帰り・配達飲食サービス業」が11.2％の減少となった。

（表Ⅱ－5－1－1，図Ⅱ－5－1－2）

　　産業中分類別の構成比をみると，「飲食店」が71.6％（1兆2452億円）と最も高く，「宿泊業，飲食サービス業」の7割を超えている。

（表Ⅱ－5－1－1，図Ⅱ－5－1－3）

24

図Ⅱ－5－1－2
産業中分類別
各月売上高平均の前年比の推移

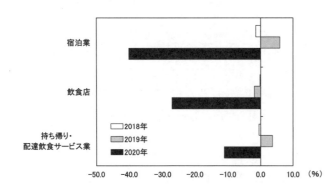

図Ⅱ－5－1－3
産業中分類別
各月売上高平均の
構成比（2020年）

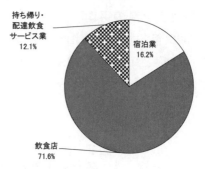

②平均事業従事者数

　2020年各月において把握した「宿泊業，飲食サービス業」の事業従事者数の平均は520万人となり，前年と比べると5.8％の減少となった。

　減少に寄与した主な分類は「飲食店」（寄与度-4.93）などとなっている。

（図Ⅱ－5－1－4，表Ⅱ－5－1－2）

図Ⅱ－5－1－4　宿泊業，飲食サービス業の
平均事業従事者数の前年比及び寄与度の推移

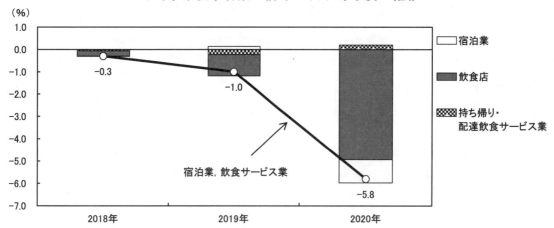

表Ⅱ－5－1－2　産業中分類別平均事業従事者数の前年比及び寄与度の推移

	実数（人）			前年比（%）			寄与度		
	2018年	2019年	2020年	2018年	2019年	2020年	2018年	2019年	2020年
宿泊業，飲食サービス業	5,579,100	5,521,100	5,202,400	-0.3	-1.0	-5.8			
宿泊業	707,800	715,700	658,200	-0.2	1.1	-8.0	-0.02	0.14	-1.04
飲食店	4,350,400	4,297,400	4,025,200	-0.3	-1.2	-6.3	-0.23	-0.95	-4.93
持ち帰り・配達飲食サービス業	520,900	508,000	519,000	-0.7	-2.5	2.2	-0.07	-0.23	0.20

　産業中分類別に前年と比べると，「宿泊業」が8.0％の減少，「飲食店」が6.3％の減少となったが，「持ち帰り・配達飲食サービス業」が2.2％の増加となった。

（表Ⅱ－5－1－2，図Ⅱ－5－1－5）

産業中分類別の構成比をみると,「飲食店」が 77.4%（403 万人）と最も高く，「宿泊業，飲食サービス業」の 8 割近くを占めている。

（表Ⅱ－5－1－2，図Ⅱ－5－1－6）

図Ⅱ－5－1－5
産業中分類別
平均事業従事者数の前年比の推移

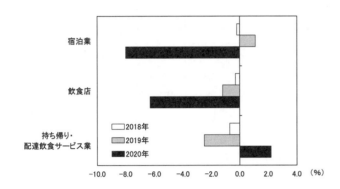

図Ⅱ－5－1－6
産業中分類別
平均事業従事者数の構成比
（2020 年）

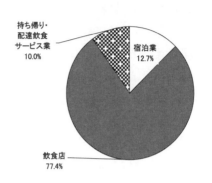

（2）月別の状況

①売上高

2020 年各月の「宿泊業，飲食サービス業」の売上高の前年同月比の推移をみると，1 月は増加となったものの，2 月以降は減少となり，4 月の減少幅が最も大きくなった。これは，主に「飲食店」が減少に寄与したことなどによる。

（図Ⅱ－5－2－1，表Ⅱ－5－2－1）

図Ⅱ－5－2－1　宿泊業，飲食サービス業の各月売上高の
前年同月比及び寄与度の推移

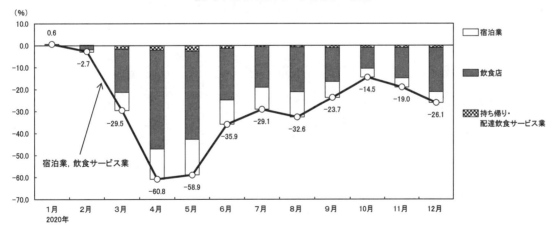

26

表Ⅱ－５－２－１　産業中分類別各月売上高の前年同月比及び寄与度

		2020年											
		1月	2月	3月	4月	5月	6月	7月	8月	9月	10月	11月	12月
前年同月比（％）	宿泊業，飲食サービス業	0.6	-2.7	-29.5	-60.8	-58.9	-35.9	-29.1	-32.6	-23.7	-14.5	-19.0	-26.1
	宿泊業	0.3	-5.6	-46.2	-75.6	-81.0	-62.0	-49.1	-46.9	-35.6	-19.1	-20.5	-29.0
	飲食店	0.7	-2.6	-26.8	-62.4	-56.8	-32.6	-26.4	-30.3	-22.2	-14.0	-20.0	-27.5
	持ち帰り・配達飲食サービス業	0.5	1.9	-18.8	-21.5	-27.7	-12.9	-6.5	-8.8	-10.7	-8.8	-9.8	-10.5
寄与度	宿泊業	0.05	-1.01	-8.32	-13.85	-16.16	-11.07	-10.03	-11.54	-7.28	-3.93	-4.14	-4.99
	飲食店	0.53	-1.90	-19.50	-44.90	-40.05	-23.47	-18.39	-20.37	-15.35	-9.58	-13.90	-20.08
	持ち帰り・配達飲食サービス業	0.05	0.20	-1.71	-2.10	-2.65	-1.31	-0.64	-0.73	-1.12	-0.95	-1.00	-1.03

②事業従事者数

　2020年各月において把握した「宿泊業，飲食サービス業」の事業従事者数の前年同月比の推移をみると，全ての月で減少となった。これは，主に「飲食店」が減少に寄与したことなどによる。

（図Ⅱ－５－２－２，表Ⅱ－５－２－２）

図Ⅱ－５－２－２　宿泊業，飲食サービス業の各月事業従事者数の前年同月比及び寄与度の推移

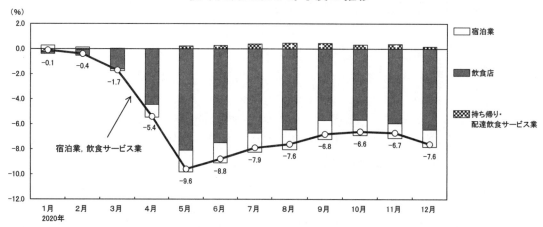

表Ⅱ－５－２－２　産業中分類別各月事業従事者数の前年同月比及び寄与度

		2020年											
		1月	2月	3月	4月	5月	6月	7月	8月	9月	10月	11月	12月
前年同月比（％）	宿泊業，飲食サービス業	-0.1	-0.4	-1.7	-5.4	-9.6	-8.8	-7.9	-7.6	-6.8	-6.6	-6.7	-7.6
	宿泊業	2.1	1.0	-1.1	-7.7	-13.1	-12.5	-11.7	-12.1	-11.5	-9.5	-9.2	-10.7
	飲食店	-0.2	-0.6	-2.1	-5.7	-10.4	-9.6	-8.6	-8.3	-7.3	-7.3	-7.6	-8.3
	持ち帰り・配達飲食サービス業	-2.5	-0.6	0.3	0.1	2.3	2.9	4.3	5.0	4.9	3.6	4.1	1.9
寄与度	宿泊業	0.27	0.13	-0.14	-1.01	-1.73	-1.62	-1.53	-1.59	-1.51	-1.22	-1.18	-1.38
	飲食店	-0.15	-0.47	-1.61	-4.45	-8.10	-7.49	-6.72	-6.46	-5.70	-5.67	-5.94	-6.44
	持ち帰り・配達飲食サービス業	-0.23	-0.06	0.03	0.01	0.22	0.27	0.39	0.45	0.44	0.33	0.37	0.17

6　N　生活関連サービス業，娯楽業

各月売上高の平均	2兆7168億円	（前年比　26.4%減）
平均事業従事者数	248万人	（　同　　2.4%減）

（1）各月平均の状況

①各月売上高の平均

　2020年各月の「生活関連サービス業，娯楽業」の売上高の平均は2兆7168億円となり，前年と比べると26.4%の減少となった。

　減少に寄与した主な分類は「娯楽業」（寄与度-14.52）などとなっている。

（図Ⅱ－6－1－1，表Ⅱ－6－1－1）

図Ⅱ－6－1－1　生活関連サービス業，娯楽業の各月売上高平均の前年比及び寄与度の推移

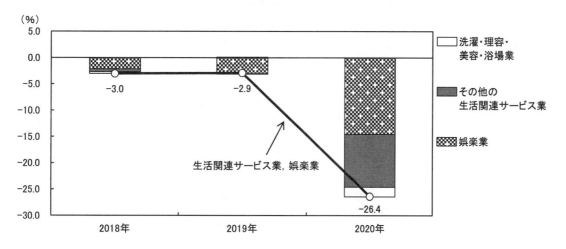

表Ⅱ－6－1－1　産業中分類別各月売上高平均の前年比及び寄与度の推移

	実数（百万円）			前年比（%）			寄与度		
	2018年	2019年	2020年	2018年	2019年	2020年	2018年	2019年	2020年
生活関連サービス業，娯楽業	3,803,991	3,692,801	2,716,806	-3.0	-2.9	-26.4			
洗濯・理容・美容・浴場業	459,440	464,213	396,088	-2.8	1.0	-14.7	-0.33	0.13	-1.84
その他の生活関連サービス業	799,554	795,739	424,142	-2.5	-0.5	-46.7	-0.52	-0.10	-10.06
娯楽業	2,547,223	2,432,848	1,896,576	-3.2	-4.5	-22.0	-2.15	-3.01	-14.52

　産業中分類別に前年と比べると，「その他の生活関連サービス業」が46.7%の減少，「娯楽業」が22.0%の減少，「洗濯・理容・美容・浴場業」が14.7%の減少となった。

（表Ⅱ－6－1－1，図Ⅱ－6－1－2）

　産業中分類別の構成比をみると，「娯楽業」が69.8%（1兆8966億円）と最も高く，「生活関連サービス業，娯楽業」の7割近くを占めている。

（表Ⅱ－6－1－1，図Ⅱ－6－1－3）

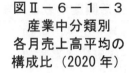

図Ⅱ－6－1－2
産業中分類別
各月売上高平均の前年比の推移

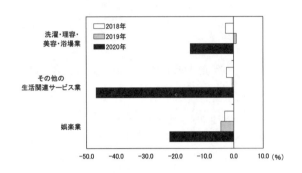

図Ⅱ－6－1－3
産業中分類別
各月売上高平均の
構成比（2020年）

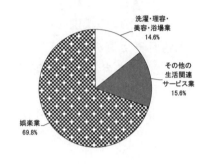

②平均事業従事者数

2020年各月において把握した「生活関連サービス業，娯楽業」の事業従事者数の平均は248万人となり，前年と比べると2.4%の減少となった。

減少に寄与した主な分類は「娯楽業」（寄与度-1.72）などとなっている。

（図Ⅱ－6－1－4，表Ⅱ－6－1－2）

図Ⅱ－6－1－4　生活関連サービス業，娯楽業の
平均事業従事者数の前年比及び寄与度の推移

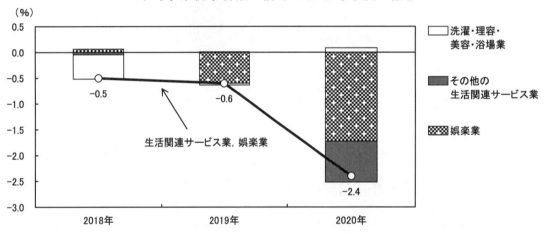

表Ⅱ－6－1－2　産業中分類別平均事業従事者数の前年比及び寄与度の推移

	実数(人)			前年比(%)			寄与度		
	2018年	2019年	2020年	2018年	2019年	2020年	2018年	2019年	2020年
生活関連サービス業，娯楽業	2,562,000	2,545,500	2,483,500	-0.5	-0.6	-2.4			
洗濯・理容・美容・浴場業	1,161,400	1,160,500	1,162,700	-1.0	-0.1	0.2	-0.47	-0.04	0.09
その他の生活関連サービス業	449,300	449,500	429,300	-0.3	0.0	-4.5	-0.05	0.01	-0.79
娯楽業	950,800	935,500	891,600	0.2	-1.6	-4.7	0.06	-0.60	-1.72

産業中分類別に前年と比べると，「娯楽業」が 4.7%の減少，「その他の生活関連サービス業」が4.5%の減少となったが，「洗濯・理容・美容・浴場業」が 0.2%の増加となった。

（表Ⅱ－6－1－2，図Ⅱ－6－1－5）

産業中分類別の構成比をみると，「洗濯・理容・美容・浴場業」が46.8%（116万人）と最も高く，次いで「娯楽業」が35.9%（89万人）となり，この2分類で「生活関連サービス業，娯楽業」の8割を超えている。

（表Ⅱ－6－1－2，図Ⅱ－6－1－6）

図Ⅱ－6－1－5
産業中分類別
平均事業従事者数の前年比の推移

図Ⅱ－6－1－6
産業中分類別
平均事業従事者数の構成比
（2020年）

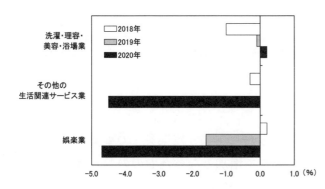

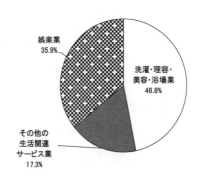

（2）月別の状況

①売上高

　　2020年各月の「生活関連サービス業，娯楽業」の売上高の前年同月比の推移をみ
ると，全ての月で減少となり，4月の減少幅が最も大きくなった。これは，主に「娯
楽業」が減少に寄与したことなどによる。

（図Ⅱ－6－2－1，表Ⅱ－6－2－1）

図Ⅱ－6－2－1　生活関連サービス業，娯楽業の各月売上高の
前年同月比及び寄与度の推移

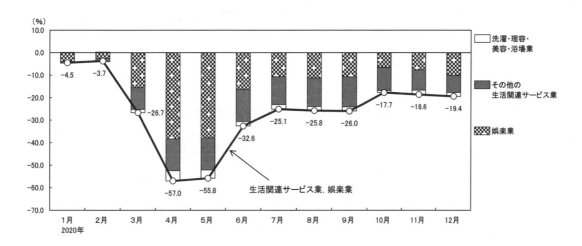

表Ⅱ－6－2－1　産業中分類別各月売上高の前年同月比及び寄与度

		2020年											
		1月	2月	3月	4月	5月	6月	7月	8月	9月	10月	11月	12月
前比年（同％月）	生活関連サービス業，娯楽業	-4.5	-3.7	-26.7	-57.0	-55.8	-32.6	-25.1	-25.8	-26.0	-17.7	-18.6	-19.4
	洗濯・理容・美容・浴場業	1.4	2.1	-11.8	-35.7	-28.1	-15.0	-16.0	-16.2	-15.2	-7.2	-15.0	-12.7
	その他の生活関連サービス業	-4.4	-6.9	-46.0	-66.5	-68.9	-64.8	-57.5	-57.7	-56.5	-43.3	-38.5	-37.3
	娯楽業	-5.5	-3.8	-23.3	-58.2	-57.2	-25.1	-16.3	-17.0	-16.8	-10.2	-12.1	-15.3
寄与度	洗濯・理容・美容・浴場業	0.16	0.25	-1.46	-4.62	-3.71	-1.96	-2.07	-1.94	-1.88	-0.90	-1.93	-1.73
	その他の生活関連サービス業	-0.81	-1.46	-9.74	-14.04	-14.22	-14.35	-12.33	-12.57	-13.35	-10.22	-8.99	-7.56
	娯楽業	-3.88	-2.53	-15.49	-38.36	-37.86	-16.25	-10.72	-11.29	-10.75	-6.54	-7.71	-10.15

②事業従事者数

　2020年各月において把握した「生活関連サービス業，娯楽業」の事業従事者数の前年同月比の推移をみると，1月から3月まで増加となったものの，4月以降の月で減少となった。また，「娯楽業」が全ての月で減少に寄与した。

（図Ⅱ－6－2－2，表Ⅱ－6－2－2）

図Ⅱ－6－2－2　生活関連サービス業，娯楽業の
各月事業従事者数の前年同月比及び寄与度の推移

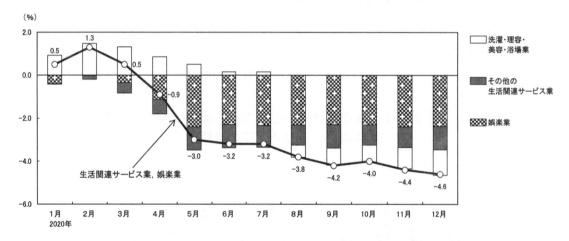

表Ⅱ－6－2－2　産業中分類別各月事業従事者数の前年同月比及び寄与度

		2020年											
		1月	2月	3月	4月	5月	6月	7月	8月	9月	10月	11月	12月
前比年（同％月）	生活関連サービス業，娯楽業	0.5	1.3	0.5	-0.9	-3.0	-3.2	-3.2	-3.8	-4.2	-4.0	-4.4	-4.6
	洗濯・理容・美容・浴場業	2.0	3.2	2.9	1.9	1.1	0.3	0.3	-1.2	-1.7	-1.7	-2.2	-2.6
	その他の生活関連サービス業	-0.1	-0.9	-2.7	-3.7	-6.1	-6.1	-5.7	-5.3	-6.2	-5.4	-5.5	-6.2
	娯楽業	-1.1	-0.1	-0.9	-3.1	-6.5	-6.2	-6.3	-6.3	-6.2	-6.3	-6.5	-6.5
寄与度	洗濯・理容・美容・浴場業	0.92	1.48	1.32	0.85	0.50	0.15	0.15	-0.56	-0.79	-0.78	-0.99	-1.18
	その他の生活関連サービス業	-0.02	-0.17	-0.49	-0.67	-1.08	-1.08	-1.01	-0.94	-1.09	-0.94	-0.96	-1.08
	娯楽業	-0.40	-0.03	-0.35	-1.13	-2.41	-2.30	-2.35	-2.31	-2.30	-2.31	-2.40	-2.38

7 О 教育，学習支援業

各月売上高の平均	2816 億円	（前年比　12.8％減）
平均事業従事者数	104 万人	（　同　　0.5％増）

（1）各月平均の状況

①各月売上高の平均

　2020 年各月の「教育，学習支援業」の売上高の平均は 2816 億円となり，前年と比べると 12.8％の減少となった。

　減少に寄与した主な分類は「うち学習塾，教養・技能教授業」（寄与度-8.65）などとなっている。

（図Ⅱ－7－1－1，表Ⅱ－7－1－1）

図Ⅱ－7－1－1　教育，学習支援業の 各月売上高平均の前年比及び寄与度の推移

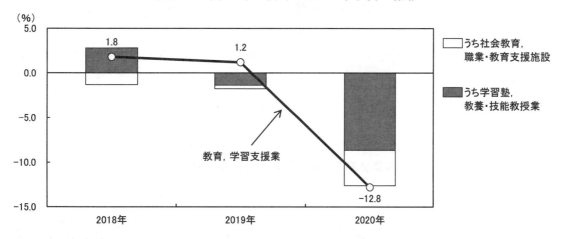

表Ⅱ－7－1－1　産業細分類別各月売上高平均の前年比及び寄与度の推移

	実数(百万円)			前年比(%)			寄与度　5)		
	2018年	2019年	2020年	2018年	2019年	2020年	2018年	2019年	2020年
教育，学習支援業	319,222	323,016	281,601	1.8	1.2	-12.8			
その他の教育，学習支援業	319,222	323,016	281,601	1.8	1.2	-12.8	1.77	1.19	-12.82
うち社会教育，職業・教育支援施設	61,070	59,815	47,000	-6.3	-2.1	-21.4	-1.30	-0.39	-3.97
うち学習塾，教養・技能教授業	209,653	205,300	177,372	4.4	-2.1	-13.6	2.80	-1.36	-8.65

注5）「教育，学習支援業」については，「その他の教育，学習支援業」の中に，「社会教育，職業・教育支援施設」及び「学習塾，教養・技能教授業」に分類されない教育，学習支援業が含まれるため，各産業細分類別の寄与度の合計と「教育，学習支援業」の前年（同月）比とは一致しない。以下，「教育，学習支援業」の同種の表について同じ。

　産業細分類別に前年と比べると，「うち社会教育，職業・教育支援施設」が 21.4％の減少，「うち学習塾，教養・技能教授業」が 13.6％の減少となった。

（表Ⅱ－7－1－1，図Ⅱ－7－1－2）

図Ⅱ－7－1－2
産業細分類別各月売上高平均の前年比の推移

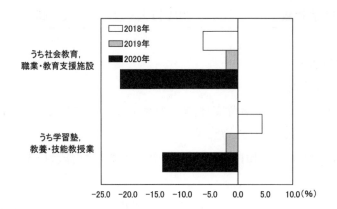

②平均事業従事者数

2020年各月において把握した「教育，学習支援業」の事業従事者数の平均は104万人となり，前年と比べると0.5%の増加となった。

増加に寄与した分類は「うち社会教育，職業・教育支援施設」（寄与度 0.29）となっている。

（図Ⅱ－7－1－3，表Ⅱ－7－1－2）

図Ⅱ－7－1－3　教育，学習支援業の
平均事業従事者数の前年比及び寄与度の推移

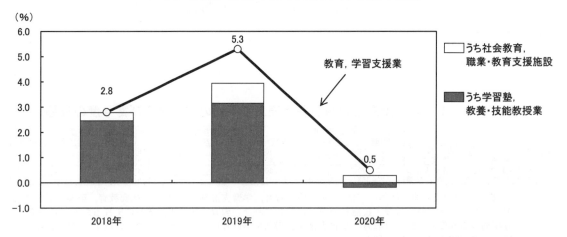

表Ⅱ－7－1－2　産業細分類別平均事業従事者数の前年比及び寄与度の推移

	実数（人）			前年比（%）			寄与度		
	2018年	2019年	2020年	2018年	2019年	2020年	2018年	2019年	2020年
教育，学習支援業	987,400	1,039,500	1,044,500	2.8	5.3	0.5			
その他の教育，学習支援業	987,400	1,039,500	1,044,500	2.8	5.3	0.5	2.78	5.28	0.48
うち社会教育,職業・教育支援施設	230,800	238,600	241,600	1.3	3.4	1.3	0.32	0.79	0.29
うち学習塾，教養・技能教授業	676,500	707,600	705,700	3.6	4.6	-0.3	2.46	3.15	-0.18

産業細分類別に前年と比べると，「うち社会教育，職業・教育支援施設」が1.3%の増加となったが，「うち学習塾，教養・技能教授業」が0.3%の減少となった。

（表Ⅱ－7－1－2，図Ⅱ－7－1－4）

図Ⅱ－7－1－4
産業細分類別平均事業従事者数の前年比の推移

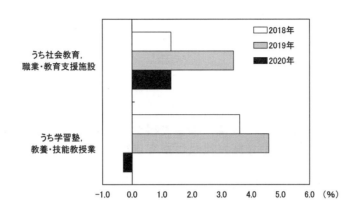

（2）月別の状況

①売上高

　2020年各月の「教育，学習支援業」の売上高の前年同月比の推移をみると，2月で増加となったものの，それ以外の月で減少となり，5月の減少幅が最も大きくなった。これは，主に「うち学習塾，教養・技能教授業」が減少に寄与したことなどによる。

（図Ⅱ－7－2－1，表Ⅱ－7－2－1）

図Ⅱ－7－2－1　教育，学習支援業の各月売上高の
前年同月比及び寄与度の推移

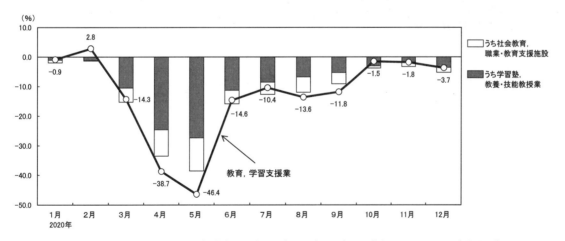

表Ⅱ－7－2－1　産業細分類別各月売上高の前年同月比及び寄与度

			2020年										
			1月	2月	3月	4月	5月	6月	7月	8月	9月	10月	11月	12月
前年同月比（％）	教育，学習支援業		-0.9	2.8	-14.3	-38.7	-46.4	-14.6	-10.4	-13.6	-11.8	-1.5	-1.8	-3.7
	その他の教育，学習支援業		-0.9	2.8	-14.3	-38.7	-46.4	-14.6	-10.4	-13.6	-11.8	-1.5	-1.8	-3.7
		うち社会教育，職業・教育支援施設	-5.8	-0.8	-24.9	-45.4	-52.3	-21.5	-21.9	-28.3	-20.2	-4.0	-7.8	-10.7
		うち学習塾，教養・技能教授業	-1.6	-1.9	-17.2	-38.6	-44.4	-18.0	-12.9	-10.9	-8.5	-4.6	-2.8	-5.4
寄与度	その他の教育，学習支援業		-0.89	2.77	-14.26	-38.65	-46.41	-14.56	-10.39	-13.62	-11.76	-1.54	-1.75	-3.68
		うち社会教育，職業・教育支援施設	-0.90	-0.14	-4.82	-8.88	-11.21	-4.63	-4.14	-5.23	-3.80	-0.73	-1.48	-1.68
		うち学習塾，教養・技能教授業	-1.08	-1.20	-10.48	-24.58	-27.32	-11.24	-8.48	-6.72	-5.27	-3.02	-1.79	-3.55

②事業従事者数

　2020年各月において把握した「教育，学習支援業」の事業従事者数の前年同月比の推移をみると，1月から3月まで増加，11月で前年と同水準，それ以外の月で減少となった。

（図Ⅱ－7－2－2，表Ⅱ－7－2－2）

図Ⅱ－7－2－2　教育，学習支援業の各月事業従事者数の前年同月比及び寄与度の推移

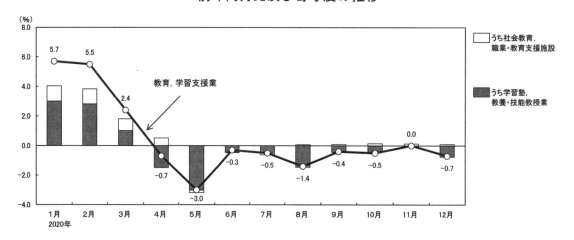

表Ⅱ－7－2－2　産業細分類別各月事業従事者数の前年同月比及び寄与度

		2020年											
		1月	2月	3月	4月	5月	6月	7月	8月	9月	10月	11月	12月
前年同月比（％）	教育，学習支援業	5.7	5.5	2.4	-0.7	-3.0	-0.3	-0.5	-1.4	-0.4	-0.5	0.0	-0.7
	その他の教育，学習支援業	5.7	5.5	2.4	-0.7	-3.0	-0.3	-0.5	-1.4	-0.4	-0.5	0.0	-0.7
	うち社会教育，職業・教育支援施設	4.5	4.4	3.5	2.2	-0.7	-0.2	-0.5	0.3	0.4	0.6	0.6	0.4
	うち学習塾，教養・技能教授業	4.4	4.1	1.5	-2.2	-4.5	-0.6	-0.7	-2.1	-0.7	-0.7	-0.1	-1.1
寄与度	その他の教育，学習支援業	5.66	5.53	2.43	-0.66	-2.98	-0.34	-0.49	-1.36	-0.36	-0.45	0.03	-0.65
	うち社会教育，職業・教育支援施設	1.04	1.02	0.80	0.51	-0.16	-0.06	-0.11	0.07	0.09	0.14	0.13	0.09
	うち学習塾，教養・技能教授業	3.01	2.82	1.01	-1.50	-3.02	-0.41	-0.50	-1.46	-0.45	-0.45	-0.06	-0.76

8　P　医療，福祉

各月売上高の平均	4兆5232億円	（前年比	3.6%減）
平均事業従事者数	823万人	（　同	0.2%増）

（1）各月平均の状況

①各月売上高の平均

　　2020年各月の「医療，福祉」の売上高の平均は4兆5232億円となり，前年と比べると3.6%の減少となった。

　　減少に寄与した主な分類は「医療業」（寄与度-3.32）などとなっている。

（図Ⅱ－8－1－1，表Ⅱ－8－1－1）

図Ⅱ－8－1－1　医療，福祉の各月売上高平均の前年比及び寄与度の推移

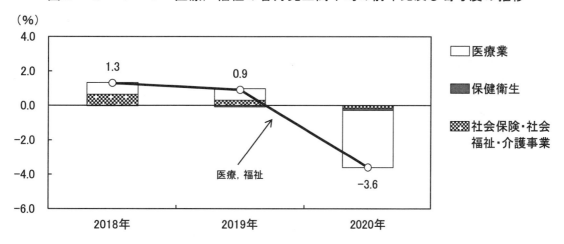

表Ⅱ－8－1－1　産業中分類別各月売上高平均の前年比及び寄与度の推移

	実数（百万円）			前年比（%）			寄与度		
	2018年	2019年	2020年	2018年	2019年	2020年	2018年	2019年	2020年
医　　療，　　福　　祉	4,651,004	4,692,637	4,523,222	1.3	0.9	-3.6			
医　　　療　　　業	3,363,150	3,394,390	3,238,446	1.0	0.7	-4.6	0.69	0.67	-3.32
保　　健　　衛　　生	55,902	52,057	46,962	-2.1	-6.9	-9.8	-0.03	-0.08	-0.11
社会保険・社会福祉・介護事業	1,232,196	1,246,190	1,237,814	2.5	1.1	-0.7	0.64	0.30	-0.18

　　産業中分類別に前年と比べると，「保健衛生」が9.8%の減少，「医療業」が4.6%の減少，「社会保険・社会福祉・介護事業」が0.7%の減少となった。

（表Ⅱ－8－1－1，図Ⅱ－8－1－2）

　　産業中分類別の構成比をみると，「医療業」が71.6%（3兆2384億円）と最も高く，「医療，福祉」の7割を超えている。

（表Ⅱ－8－1－1，図Ⅱ－8－1－3）

図Ⅱ－8－1－2
産業中分類別
各月売上高平均の前年比の推移

図Ⅱ－8－1－3
産業中分類別
各月売上高平均の
構成比（2020年）

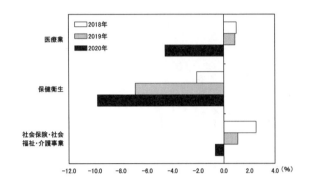

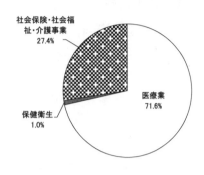

②平均事業従事者数

　2020年各月において把握した「医療，福祉」の事業従事者数の平均は823万人となり，前年と比べると0.2%の増加となった。

　増加に寄与した主な分類は「社会保険・社会福祉・介護事業」（寄与度0.14）などとなっている。

（図Ⅱ－8－1－4，表Ⅱ－8－1－2）

図Ⅱ－8－1－4　医療，福祉の平均事業従事者数の前年比及び寄与度の推移

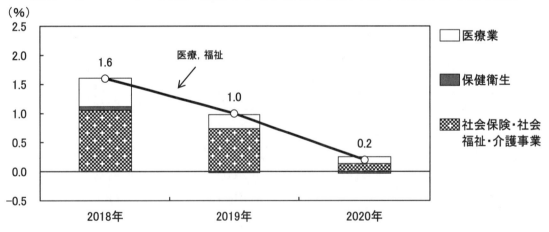

表Ⅱ－8－1－2　産業中分類別平均事業従事者数の前年比及び寄与度の推移

	実数（人）			前年比（%）			寄与度		
	2018年	2019年	2020年	2018年	2019年	2020年	2018年	2019年	2020年
医　療，福　祉	8,129,700	8,208,700	8,227,100	1.6	1.0	0.2			
医　療　業	4,195,500	4,215,100	4,224,800	0.9	0.5	0.2	0.49	0.24	0.12
保　健　衛　生	123,400	121,900	119,500	4.3	-1.2	-2.0	0.06	-0.02	-0.03
社会保険・社会福祉・介護事業	3,811,700	3,871,700	3,882,800	2.3	1.6	0.3	1.05	0.74	0.14

　産業中分類別に前年と比べると，「社会保険・社会福祉・介護事業」が0.3%の増加，「医療業」が0.2%の増加となったが，「保健衛生」が2.0%の減少となった。

（表Ⅱ－8－1－2，図Ⅱ－8－1－5）

　産業中分類別の構成比をみると，「医療業」が51.4％（422万人）と最も高く，次いで「社会保険・社会福祉・介護事業」が47.2％（388万人）となっており，この2分類で「医療，福祉」のほとんどを占めている。

（表Ⅱ－8－1－2，図Ⅱ－8－1－6）

<table>
<tr><td>図Ⅱ－8－1－5
産業中分類別
平均事業従事者数の前年比の推移</td><td>図Ⅱ－8－1－6
産業中分類別
平均事業従事者数の構成比
（2020年）</td></tr>
</table>

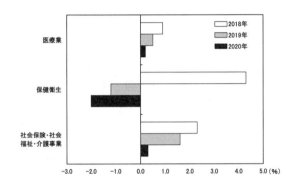

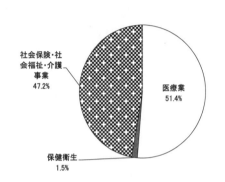

（2）月別の状況

①売上高

　2020年各月の「医療，福祉」の売上高の前年同月比の推移をみると，2月，10月で増加，1月で前年と同水準，それ以外の月で減少となり，5月の減少幅が最も大きくなった。これは，主に「医療業」が減少に寄与したことなどによる。

（図Ⅱ－8－2－1，表Ⅱ－8－2－1）

図Ⅱ－8－2－1　医療，福祉の各月売上高の前年同月比及び寄与度の推移

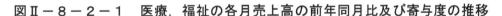

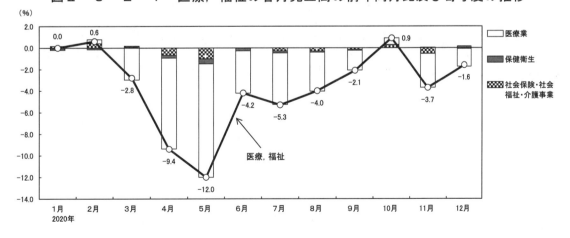

表Ⅱ－8－2－1　産業中分類別各月売上高の前年同月比及び寄与度

		2020年											
		1月	2月	3月	4月	5月	6月	7月	8月	9月	10月	11月	12月
前年同月比（％）	医　療，　福　祉	0.0	0.6	-2.8	-9.4	-12.0	-4.2	-5.3	-4.0	-2.1	0.9	-3.7	-1.6
	医　　療　　業	-0.1	0.5	-4.1	-11.6	-14.6	-5.4	-6.6	-5.0	-2.6	0.9	-4.3	-2.3
	保　健　衛　生	-12.2	-14.3	6.4	-29.0	-46.9	-20.1	-14.5	-9.0	-6.4	1.6	3.2	16.1
	社会保険・社会福祉・介護事業	0.6	1.5	0.3	-2.5	-3.7	-0.1	-1.1	-1.1	-0.5	1.0	-2.0	-0.4
寄与度	医　　療　　業	-0.08	0.37	-2.97	-8.44	-10.53	-3.93	-4.79	-3.62	-1.84	0.62	-3.15	-1.64
	保　健　衛　生	-0.12	-0.15	0.07	-0.27	-0.47	-0.25	-0.18	-0.10	-0.08	0.02	0.04	0.15
	社会保険・社会福祉・介護事業	0.16	0.41	0.09	-0.67	-1.00	-0.03	-0.29	-0.31	-0.15	0.27	-0.54	-0.09

②事業従事者数

　2020年各月において把握した「医療，福祉」の事業従事者数の前年同月比の推移をみると，5月，10月で減少，11月で前年と同水準，それ以外の月で増加となった。

（図Ⅱ－8－2－2，表Ⅱ－8－2－2）

図Ⅱ－8－2－2　医療，福祉の各月事業従事者数の前年同月比及び寄与度の推移

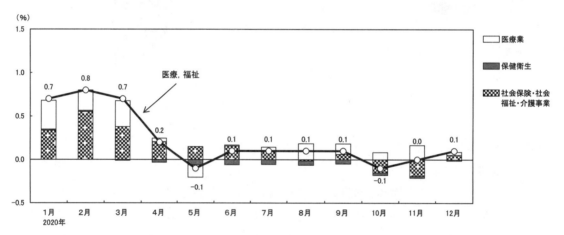

表Ⅱ－8－2－2　産業中分類別各月事業従事者数の前年同月比及び寄与度

		2020年											
		1月	2月	3月	4月	5月	6月	7月	8月	9月	10月	11月	12月
前年同月比（％）	医　療，　福　祉	0.7	0.8	0.7	0.2	-0.1	0.1	0.1	0.1	0.1	-0.1	0.0	0.1
	医　　療　　業	0.7	0.5	0.6	0.1	-0.3	0.0	0.1	0.4	0.2	0.2	0.3	0.1
	保　健　衛　生	0.7	1.0	-0.7	-2.2	-4.1	-3.9	-3.6	-3.3	-3.1	-2.0	-1.4	-0.8
	社会保険・社会福祉・介護事業	0.7	1.2	0.8	0.4	0.3	0.3	0.2	0.0	0.1	-0.3	-0.4	0.1
寄与度	医　　療　　業	0.33	0.23	0.30	0.04	-0.14	0.01	0.05	0.18	0.12	0.08	0.17	0.03
	保　健　衛　生	0.01	0.01	-0.01	-0.03	-0.06	-0.06	-0.05	-0.05	-0.05	-0.03	-0.02	-0.01
	社会保険・社会福祉・介護事業	0.34	0.55	0.38	0.21	0.15	0.16	0.09	-0.01	0.06	-0.15	-0.19	0.05

9 R サービス業（他に分類されないもの）

各月売上高の平均	3兆2055億円	（前年比	5.5％減）
平均事業従事者数	376万人	（ 同	1.9％減）

（1）各月平均の状況

①各月売上高の平均

2020年各月の「サービス業（他に分類されないもの）」の売上高の平均は3兆2055億円となり，前年と比べると5.5％の減少となった。

減少に寄与した主な分類は「その他の事業サービス業」（寄与度-3.25）などとなっている。

（図Ⅱ－9－1－1，表Ⅱ－9－1－1）

図Ⅱ－9－1－1　サービス業（他に分類されないもの）の各月売上高平均の前年比及び寄与度の推移

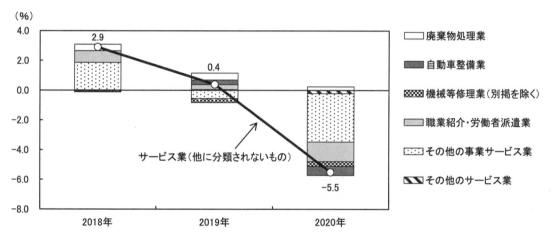

表Ⅱ－9－1－1　産業中分類別各月売上高平均の前年比及び寄与度の推移

	実数（百万円）			前年比（％）			寄与度		
	2018年	2019年	2020年	2018年	2019年	2020年	2018年	2019年	2020年
サービス業（他に分類されないもの）	3,376,981	3,390,949	3,205,542	2.9	0.4	-5.5			
廃 棄 物 処 理 業	357,269	373,024	381,337	4.1	4.4	2.2	0.43	0.47	0.25
自 動 車 整 備 業	260,372	270,540	250,218	-0.5	3.9	-7.5	-0.04	0.30	-0.60
機 械 等 修 理 業（別掲を除く）	376,450	367,520	356,684	-0.6	-2.4	-2.9	-0.07	-0.26	-0.32
職 業 紹 介 ・ 労 働 者 派 遣 業	612,851	624,229	579,212	4.4	1.9	-7.2	0.79	0.34	-1.33
そ の 他 の 事 業 サ ー ビ ス 業	1,739,779	1,721,047	1,610,852	3.6	-1.1	-6.4	1.84	-0.55	-3.25
そ の 他 の サ ー ビ ス 業	32,849	34,588	27,240	2.0	5.3	-21.2	0.02	0.05	-0.22

産業中分類別に前年と比べると，「その他のサービス業」が21.2％の減少，「自動車整備業」が7.5％の減少，「職業紹介・労働者派遣業」が7.2％の減少，「その他の事業サービス業」が6.4％の減少，「機械等修理業（別掲を除く）」が2.9％の減少となったが，「廃棄物処理業」が2.2％の増加となった。

（表Ⅱ－9－1－1，図Ⅱ－9－1－2）

産業中分類別の構成比をみると，「その他の事業サービス業」が50.3％（1兆6109億円）と最も高く，「サービス業（他に分類されないもの）」の5割を超えている。

（表Ⅱ－9－1－1，図Ⅱ－9－1－3）

図Ⅱ－9－1－2
産業中分類別
各月売上高平均の前年比の推移

図Ⅱ－9－1－3
産業中分類別
各月売上高平均の
構成比（2020年）

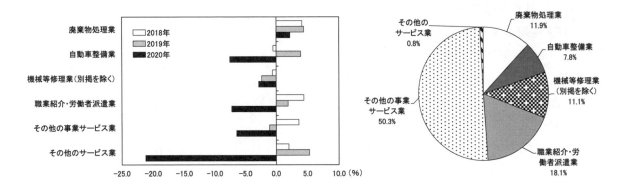

②平均事業従事者数

2020年各月において把握した「サービス業（他に分類されないもの）」の事業従事者数の平均は376万人となり，前年と比べると1.9%の減少となった。

減少に寄与した主な分類は「その他の事業サービス業」（寄与度-0.97）などとなっている。

（図Ⅱ－9－1－4，表Ⅱ－9－1－2）

図Ⅱ－9－1－4　サービス業（他に分類されないもの）の
平均事業従事者数の前年比及び寄与度の推移

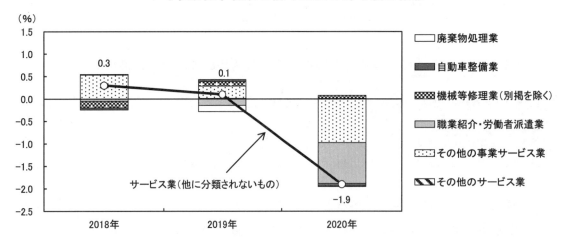

表Ⅱ－9－1－2　産業中分類別平均事業従事者数の前年比及び寄与度の推移

	実数（人）			前年比（%）			寄与度		
	2018年	2019年	2020年	2018年	2019年	2020年	2018年	2019年	2020年
サービス業（他に分類されないもの）	3,823,500	3,829,100	3,757,200	0.3	0.1	-1.9			
廃　棄　物　処　理　業	343,600	338,200	337,800	0.2	-1.6	-0.1	0.02	-0.14	-0.01
自　動　車　整　備　業	277,400	279,300	277,100	-0.7	0.7	-0.8	-0.05	0.05	-0.06
機械等修理業（別掲を除く）	259,700	263,400	265,900	-2.0	1.4	0.9	-0.14	0.10	0.07
職業紹介・労働者派遣業	449,100	443,700	408,800	-0.4	-1.2	-7.9	-0.05	-0.14	-0.91
その他の事業サービス業	2,438,500	2,448,900	2,411,600	0.8	0.4	-1.5	0.53	0.27	-0.97
その他のサービス業	55,100	55,600	56,000	-0.4	0.9	0.7	-0.01	0.01	0.01

　産業中分類別に前年と比べると,「職業紹介・労働者派遣業」が7.9%の減少,「その他の事業サービス業」が1.5%の減少,「自動車整備業」が0.8%の減少,「廃棄物処理業」が0.1%の減少となったが,「機械等修理業（別掲を除く）」が0.9%の増加,「その他のサービス業」が0.7%の増加となった。

（表Ⅱ－9－1－2，図Ⅱ－9－1－5）

　産業中分類別の構成比をみると,「その他の事業サービス業」が64.2%（241万人）と最も高く,「サービス業（他に分類されないもの）」の6割を超えている。

（表Ⅱ－9－1－2，図Ⅱ－9－1－6）

図Ⅱ－9－1－5
産業中分類別
平均事業従事者数の前年比の推移

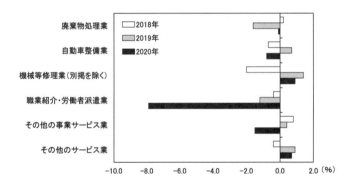

図Ⅱ－9－1－6
産業中分類別
平均事業従事者数の構成比
（2020年）

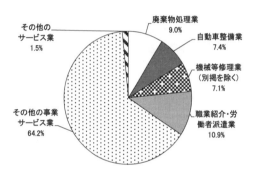

（2）月別の状況

①売上高

　2020年各月の「サービス業（他に分類されないもの）」の売上高の前年同月比の推移をみると,1月から3月まで増加となったものの,4月以降の月で減少となり,5月の減少幅が最も大きくなった。これは,主に「その他の事業サービス業」が減少に寄与したことなどによる。

（図Ⅱ－9－2－1，表Ⅱ－9－2－1）

図Ⅱ－9－2－1　サービス業（他に分類されないもの）の
各月売上高の前年同月比及び寄与度の推移

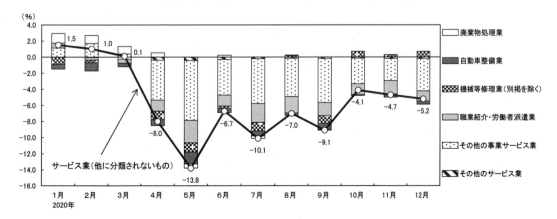

表Ⅱ－9－2－1　産業中分類別各月売上高の前年同月比及び寄与度

| | | 2020年 | | | | | | | | | | | |
		1月	2月	3月	4月	5月	6月	7月	8月	9月	10月	11月	12月
前年同月比（％）	サービス業（他に分類されないもの）	1.5	1.0	0.1	-8.0	-13.8	-6.7	-10.1	-7.0	-9.1	-4.1	-4.7	-5.2
	廃棄物処理業	11.4	9.4	8.6	4.7	-4.6	2.0	-2.6	0.6	-0.9	-0.3	0.1	-0.2
	自動車整備業	-7.6	-11.9	-5.6	-8.8	-18.4	-6.3	-7.6	-4.1	-8.9	-1.2	-4.8	-5.0
	機械等修理業（別掲を除く）	-8.1	-2.7	0.1	-10.7	-10.6	-2.9	-10.0	1.7	-8.8	7.3	2.8	6.9
	職業紹介・労働者派遣業	3.5	-1.7	-2.9	-7.0	-15.0	-7.3	-12.2	-10.9	-9.3	-6.9	-8.9	-7.0
	その他の事業サービス業	2.2	3.4	0.7	-9.9	-14.7	-8.7	-11.1	-9.2	-10.6	-6.3	-5.4	-7.7
	その他のサービス業	1.1	-6.2	-28.4	-32.0	-40.6	-29.6	-21.2	-17.4	-21.0	-15.5	-18.7	-20.1
寄与度	廃棄物処理業	1.20	0.98	0.91	0.52	-0.51	0.22	-0.29	0.07	-0.10	-0.03	0.01	-0.02
	自動車整備業	-0.59	-1.01	-0.45	-0.72	-1.48	-0.51	-0.61	-0.31	-0.71	-0.10	-0.38	-0.38
	機械等修理業（別掲を除く）	-0.89	-0.33	0.01	-1.10	-1.14	-0.31	-1.09	0.18	-0.99	0.70	0.29	0.69
	職業紹介・労働者派遣業	0.64	-0.31	-0.48	-1.36	-2.78	-1.36	-2.36	-2.04	-1.64	-1.33	-1.67	-1.25
	その他の事業サービス業	1.11	1.70	0.38	-4.92	-7.42	-4.41	-5.54	-4.72	-5.44	-3.16	-2.73	-4.01
	その他のサービス業	0.01	-0.06	-0.26	-0.41	-0.43	-0.30	-0.21	-0.17	-0.20	-0.16	-0.19	-0.20

②事業従事者数

　2020 年各月において把握した「サービス業（他に分類されないもの）」の事業従事者数の前年同月比の推移をみると，1月，2月に増加となったものの，3月以降の月で減少となった。これは，主に「その他の事業サービス業」や「職業紹介・労働者派遣業」が減少に寄与したことなどによる。

（図Ⅱ－9－2－2，表Ⅱ－9－2－2）

図Ⅱ－9－2－2　サービス業（他に分類されないもの）の
各月事業従事者数の前年同月比及び寄与度の推移

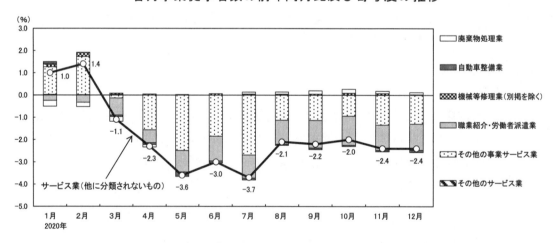

表Ⅱ－9－2－2　産業中分類別各月事業従事者数の前年同月比及び寄与度

| | | 2020年 | | | | | | | | | | | |
		1月	2月	3月	4月	5月	6月	7月	8月	9月	10月	11月	12月
前年同月比（％）	サービス業（他に分類されないもの）	1.0	1.4	-1.1	-2.3	-3.6	-3.0	-3.7	-2.1	-2.2	-2.0	-2.4	-2.4
	廃棄物処理業	-2.9	-2.1	-2.4	-1.2	-0.5	0.0	1.0	1.1	1.6	2.0	1.2	1.1
	自動車整備業	1.5	0.1	-1.0	-1.3	-2.1	-1.2	-1.2	-0.7	-1.0	-0.8	-0.8	-1.3
	機械等修理業（別掲を除く）	1.8	2.7	0.7	0.6	0.3	0.9	0.6	0.6	0.7	1.2	1.0	0.3
	職業紹介・労働者派遣業	-2.0	-2.8	-6.6	-5.0	-8.4	-9.5	-9.0	-9.3	-10.5	-11.1	-9.9	-10.2
	その他の事業サービス業	1.9	2.7	-0.2	-2.4	-3.9	-2.9	-4.2	-1.8	-1.8	-1.5	-2.1	-2.0
	その他のサービス業	1.8	1.2	2.2	-0.2	0.0	0.4	0.5	0.5	0.2	0.5	0.5	0.4
寄与度	廃棄物処理業	-0.26	-0.19	-0.21	-0.10	-0.05	0.00	0.09	0.09	0.14	0.18	0.11	0.10
	自動車整備業	0.11	0.01	-0.07	-0.09	-0.16	-0.09	-0.09	-0.05	-0.07	-0.05	-0.05	-0.10
	機械等修理業（別掲を除く）	0.13	0.18	0.05	0.04	0.02	0.06	0.04	0.04	0.05	0.09	0.07	0.02
	職業紹介・労働者派遣業	-0.24	-0.33	-0.77	-0.57	-0.97	-1.11	-1.03	-1.08	-1.23	-1.30	-1.14	-1.17
	その他の事業サービス業	1.24	1.71	-0.13	-1.56	-2.49	-1.85	-2.69	-1.13	-1.14	-0.94	-1.34	-1.30
	その他のサービス業	0.03	0.02	0.03	0.00	0.00	0.01	0.01	0.01	0.00	0.01	0.01	0.01

Summary of the Results

Sales (Average per Month)	28.74 trillion yen (-10.2%)
Number of the Persons Working at the Location of Establishment (Annual Average)	
	29.71 million persons (-1.6%)

*The figures in parenthesis indicate change over the year.

1. Annual Average

(1) Sales (Average per Month)

The sales (average per month) of service industries amounted to 28.74 trillion yen in 2020, down 10.2% from the previous year and marking a decrease for the first time since the survey was revised in 2013, due to the impact of the novel coronavirus disease (COVID-19) including stay-at-home requests and business suspension orders.

The main negative contributors to the decrease in sales of service industries were "Living-related and personal services and amusement services" contributing -3.05 percentage points; "Transport and postal activities" contributing -2.78 percentage points; and "Accommodations, eating and drinking services" contributing -2.12 percentage points.

(Figure 1-1, Table 1-1)

Figure1-1 Change over the Year and Contribution to Change in Sales (Average per Month) of Service Industries

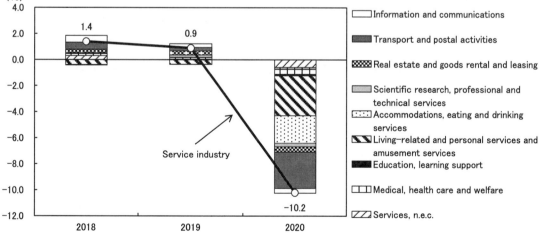

Table 1-1   Change over the Year and Contribution to Change in Sales (Average per Month) by Industry (Major Groups)

	Actual figures (million yen) 1)			Change over the year (%)			Contribution to change 2)		
	2018	2019	2020	2018	2019	2020	2018	2019	2020
Service industry	31,721,253	32,010,522	28,736,724	1.4	0.9	−10.2			
Information and communications	4,938,309	5,027,410	4,912,550	3.4	1.8	−2.3	0.52	0.28	−0.36
Transport and postal activities	5,536,722	5,619,100	4,729,145	3.1	1.5	−15.8	0.53	0.26	−2.78
Real estate and goods rental and leasing	4,008,120	4,106,868	3,978,504	2.1	2.5	−3.1	0.26	0.31	−0.40
Scientific research, professional and technical services	2,681,316	2,740,073	2,651,429	0.1	2.2	−3.2	0.01	0.19	−0.28
Accommodations, eating and drinking services	2,418,252	2,417,667	1,737,923	−0.5	0.0	−28.1	−0.04	0.00	−2.12
Living−related and personal services and amusement services	3,803,991	3,692,801	2,716,806	−3.0	−2.9	−26.4	−0.38	−0.35	−3.05
Education, learning support	319,222	323,016	281,601	1.8	1.2	−12.8	0.02	0.01	−0.13
Medical, health care and welfare	4,651,004	4,692,637	4,523,222	1.3	0.9	−3.6	0.20	0.13	−0.53
Services, n.e.c.	3,376,981	3,390,949	3,205,542	2.9	0.4	−5.5	0.31	0.04	−0.58

Note: 1) The population of the survey was changed and the sample establishments were replaced in January 2019. To remove the gaps caused by this change, the actual figures for 2018 or earlier have been adjusted in this annual report. Yet, these figures are not adjusted values by the change of the population of the survey and the replacement of the sample establishments in January 2021.

2) The contributions to change of each year were calculated using the adjusted figures of the previous year respectively. Since the adjusted figures were calculated individually for each industry, the sum of contributions from each industry to the total change of service industries may not equal the total change over the year of service industries. The same applies hereinafter.

By industry, the sales (average per month) decreased in all 9 industries: "Accommodations, eating and drinking services" (a decrease of 28.1%), "Living-related and personal services and amusement services" (a decrease of 26.4%), "Transport and postal activities" (a decrease of 15.8%), "Education, learning support" (a decrease of 12.8%), "Services, n.e.c." (a decrease of 5.5%), "Medical, health care and welfare" (a decrease of 3.6%), "Scientific research, professional and technical services" (a decrease of 3.2%), "Real estate and goods rental and leasing" (a decrease of 3.1%), and "Information and communications" (a decrease of 2.3%).

(Table 1-1, Figure 1-2)

"Information and communications" accounted for the largest proportion (17.1% of service industries or 4.91 trillion yen), while "Education, learning support" accounted for the smallest proportion (1.0% or 0.28 trillion yen).

(Table 1-1, Figure 1-3)

Figure 1-2 Change over the Year of Sales (Average per Month) by Industry (Major Groups)

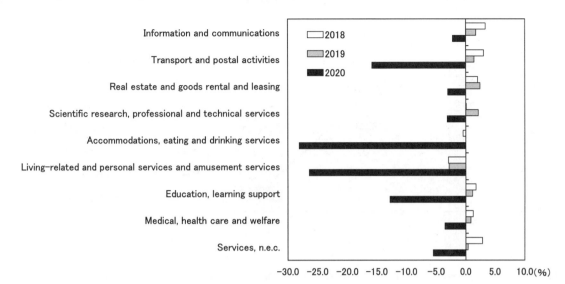

Figure 1-3 Composition of Sales (Average per Month) by Industry (Major Groups) in 2020

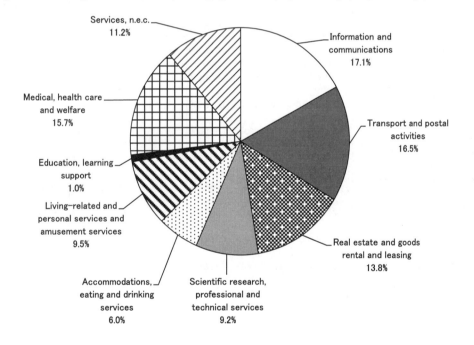

(2) Number of Persons Working at the Location of Establishment

The number of persons working at the location of establishment (annual average) of service industries amounted to 29.71 million in 2020, down 1.6% from the previous year and marking a decrease for the first time since the survey was revised in 2013.

The main negative contributors to the decrease in the number of persons of service industries were "Accommodations, eating and drinking services" contributing -1.06 percentage points; "Transport and postal activities" contributing -0.29 percentage points; and "Services, n.e.c." contributing -0.24 percentage points while the main positive contributor was "Information and communications" contributing 0.10 percentage points.

(Figure 1-4, Table 1-2)

46

Figure 1-4　Change over the Year and Contribution to Change in the Number of Persons
Working at the Location of Establishment (Annual Average) of Service Industries

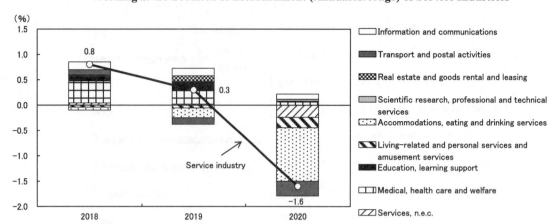

Table 1-2　Change over the Year and Contribution to Change in the Number of Persons
Working at the Location of Establishment (Annual Average) by Industry (Major Groups)

	Actual figures (person)			Change over the year (%)			Contribution to change		
	2018	2019	2020	2018	2019	2020	2018	2019	2020
Service industry	30,084,700	30,186,200	29,711,900	0.8	0.3	-1.6			
Information and communications	1,898,300	1,942,500	1,973,100	2.5	2.3	1.6	0.15	0.15	0.10
Transport and postal activities	3,717,700	3,679,300	3,591,600	0.8	-1.0	-2.4	0.10	-0.13	-0.29
Real estate and goods rental and leasing	1,599,100	1,631,000	1,631,600	0.2	2.0	0.0	0.01	0.11	0.00
Scientific research, professional and technical services	1,784,600	1,789,600	1,800,900	0.3	0.3	0.6	0.02	0.02	0.04
Accommodations, eating and drinking services	5,579,100	5,521,100	5,202,400	-0.3	-1.0	-5.8	-0.06	-0.19	-1.06
Living-related and personal services and amusement services	2,562,000	2,545,500	2,483,500	-0.5	-0.6	-2.4	-0.04	-0.05	-0.21
Education, learning support	987,400	1,039,500	1,044,500	2.8	5.3	0.5	0.09	0.17	0.02
Medical, health care and welfare	8,129,700	8,208,700	8,227,100	1.6	1.0	0.2	0.43	0.26	0.06
Services, n.e.c.	3,823,500	3,829,100	3,757,200	0.3	0.1	-1.9	0.04	0.02	-0.24

By industry, the number of persons working at the location of establishment (annual average) decreased in 4 industries: "Accommodations, eating and drinking services" (a decrease of 5.8%), "Transport and postal activities" and "Living-related and personal services and amusement services" (a decrease of 2.4%), and "Services, n.e.c." (a decrease of 1.9%).

On the other hand, the number of persons working at the location of establishment (annual average) increased in 4 industries: "Information and communications" (an increase of 1.6%), "Scientific research, professional and technical services" (an increase of 0.6%) "Education, learning support" (an increase of 0.5%), and "Medical, health care and welfare" (an increase of 0.2%), and were the same level as the previous year in 1 industry: "Real estate and goods rental and leasing".

(Table 1-2, Figure 1-5)

"Medical, health care and welfare" accounted for the largest proportion (27.7% of service industries or 8.23 million persons), followed by "Accommodations, eating and drinking services" (17.5% or 5.20 million persons). These two industries thus cover more than 40 percent of service industries.

(Table 1-2, Figure 1-6)

Figure 1-5 Change over the Year of the Number of Persons Working at the Location of Establishment (Annual Average) by Industry (Major Groups)

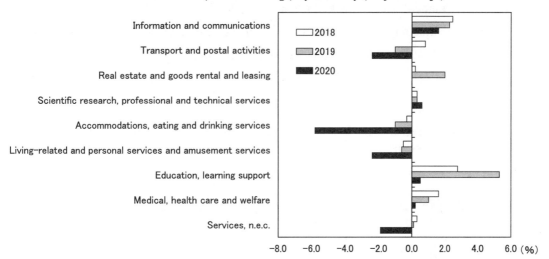

Figure 1-6 Composition of the Number of Persons Working at the Location of Establishment (Annual Average) by Industry (Major Groups) in 2020

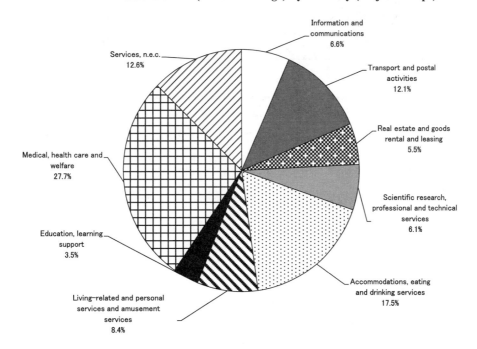

2. Monthly Change

(1) Sales

The monthly sales of service industries decreased in all months of 2020 except January, compared with the previous year. The largest decrease of monthly sales was in May by 23.2%(the largest decrease since the survey was revised in 2013).

The largest decrease of monthly sales was in May, mainly due to a decrease in "Living-related and personal services and amusement services", "Transport and postal activities", and "Accommodations, eating and drinking services".

"Living-related and personal services and amusement services" and "Transport and postal activities" contributed to the decrease every month.

(Figure 2-1, Table 2-1)

Figure 2-1   Change over the Year and Contribution to Change in Monthly Sales of Service Industries

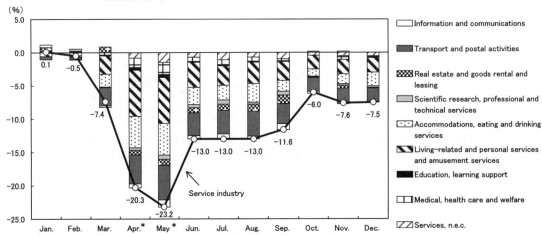

* A state of emergency was declared from April 7 to May 25. The target area had been changed over time.

Table 2-1　Change over the Year and Contribution to Change in Monthly Sales
by Industry (Major Groups)

		2020											
		Jan.	Feb.	Mar.	Apr.	May	Jun.	Jul.	Aug.	Sep.	Oct.	Nov.	Dec.
Change over the year (%)	Service industry	0.1	−0.5	−7.4	−20.3	−23.2	−13.0	−13.0	−13.0	−11.6	−6.0	−7.6	−7.5
	Information and communications	2.4	−0.5	−1.3	−4.1	−7.3	−3.0	−4.6	−2.8	−5.1	−1.8	1.1	−0.6
	Transport and postal activities	−2.8	−1.7	−15.6	−24.5	−29.3	−20.0	−19.8	−21.2	−17.6	−11.6	−13.1	−12.0
	Real estate and goods rental and leasing	4.5	−0.8	6.5	−5.3	−7.3	−5.8	−7.4	−8.2	−9.9	−0.9	−3.6	−0.6
	Scientific research, professional and technical services	0.5	3.9	−1.0	−4.6	−8.6	−5.4	−7.7	−3.9	−6.3	−1.2	−2.7	−2.6
	Accommodations, eating and drinking services	0.6	−2.7	−29.5	−60.8	−58.9	−35.9	−29.1	−32.6	−23.7	−14.5	−19.0	−26.1
	Living-related and personal services and amusement services	−4.5	−3.7	−26.7	−57.0	−55.8	−32.6	−25.1	−25.8	−26.0	−17.7	−18.6	−19.4
	Education, learning support	−0.9	2.8	−14.3	−38.7	−46.4	−14.6	−10.4	−13.6	−11.8	−1.5	−1.8	−3.7
	Medical, health care and welfare	0.0	0.6	−2.8	−9.4	−12.0	−4.2	−5.3	−4.0	−2.1	0.9	−3.7	−1.6
	Services, n.e.c.	1.5	1.0	0.1	−8.0	−13.8	−6.7	−10.1	−7.0	−9.1	−4.1	−4.7	−5.2
Contribution to change	Information and communications	0.38	−0.07	−0.24	−0.60	−1.08	−0.48	−0.69	−0.41	−0.88	−0.27	0.16	−0.10
	Transport and postal activities	−0.48	−0.30	−2.73	−4.35	−5.19	−3.43	−3.55	−3.75	−3.00	−2.10	−2.37	−2.05
	Real estate and goods rental and leasing	0.55	−0.10	0.84	−0.69	−0.91	−0.75	−0.93	−1.05	−1.32	−0.11	−0.45	−0.08
	Scientific research, professional and technical services	0.04	0.31	−0.12	−0.39	−0.67	−0.47	−0.62	−0.30	−0.56	−0.10	−0.22	−0.23
	Accommodations, eating and drinking services	0.05	−0.19	−1.95	−4.71	−4.73	−2.59	−2.23	−2.81	−1.66	−1.09	−1.49	−2.07
	Living-related and personal services and amusement services	−0.55	−0.42	−2.74	−6.95	−6.92	−3.79	−2.92	−3.21	−2.82	−2.04	−2.14	−2.17
	Education, learning support	−0.01	0.03	−0.13	−0.41	−0.45	−0.14	−0.11	−0.16	−0.12	−0.02	−0.02	−0.04
	Medical, health care and welfare	−0.01	0.09	−0.36	−1.39	−1.81	−0.62	−0.80	−0.60	−0.29	0.14	−0.56	−0.23
	Services, n.e.c.	0.15	0.11	0.01	−0.83	−1.47	−0.71	−1.10	−0.71	−0.97	−0.45	−0.51	−0.55

(2)　Number of Persons Working at the Location of Establishment

The monthly number of persons working at the location of establishment of service industries decreased in all months of 2020 except January and February, compared with the previous year. The largest decrease of monthly number of persons working at the location of establishment was in May by 3.0%, mainly due to a decrease in "Accommodations, eating and drinking services".

"Accommodations, eating and drinking services" contributed to the decrease every month.

(Figure 2-2, Table 2-2)

Figure 2-2　Change over the Year and Contribution to Change in the Number of
Persons Working at the Location of Establishment of Service Industries

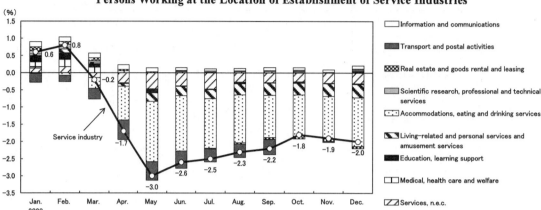

Table 2-2　Change over the Year and Contribution to Change in the Number of
Persons Working at the Location of Establishment by Industry (Major Groups)

		2020											
		Jan.	Feb.	Mar.	Apr.	May	Jun.	Jul.	Aug.	Sep.	Oct.	Nov.	Dec.
Change over the year (%)	Service industry	0.6	0.8	−0.2	−1.7	−3.0	−2.6	−2.5	−2.3	−2.2	−1.8	−1.9	−2.0
	Information and communications	2.4	2.1	2.2	2.1	1.8	1.3	1.0	1.1	1.4	1.1	1.1	1.4
	Transport and postal activities	−2.2	−1.5	−2.5	−4.6	−4.4	−4.2	−3.1	−3.2	−3.6	0.4	−0.2	0.6
	Real estate and goods rental and leasing	2.1	1.6	1.5	0.7	0.5	0.3	−0.4	−0.7	−1.0	−1.5	−1.4	−1.1
	Scientific research, professional and technical services	1.6	2.3	0.9	0.0	−0.1	0.4	0.5	0.4	0.5	0.5	0.3	0.3
	Accommodations, eating and drinking services	−0.1	−0.4	−1.7	−5.4	−9.6	−8.8	−7.9	−7.6	−6.8	−6.6	−6.7	−7.6
	Living−related and personal services and amusement services	0.5	1.3	0.5	−0.9	−3.0	−3.2	−3.2	−3.8	−4.2	−4.0	−4.4	−4.6
	Education, learning support	5.7	5.5	2.4	−0.7	−3.0	−0.3	−0.5	−1.4	−0.4	−0.5	0.0	−0.7
	Medical, health care and welfare	0.7	0.8	0.7	0.2	−0.1	0.1	0.1	0.1	0.1	−0.1	0.0	0.1
	Services, n.e.c.	1.0	1.4	−1.1	−2.3	−3.6	−3.0	−3.7	−2.1	−2.2	−2.0	−2.4	−2.4
Contribution to change	Information and communications	0.15	0.13	0.14	0.14	0.12	0.09	0.07	0.07	0.09	0.07	0.07	0.09
	Transport and postal activities	−0.26	−0.19	−0.32	−0.57	−0.54	−0.51	−0.38	−0.39	−0.44	0.05	−0.03	0.08
	Real estate and goods rental and leasing	0.11	0.09	0.08	0.04	0.03	0.01	−0.02	−0.04	−0.06	−0.08	−0.08	−0.06
	Scientific research, professional and technical services	0.10	0.14	0.05	0.00	−0.01	0.02	0.03	0.03	0.03	0.03	0.02	0.02
	Accommodations, eating and drinking services	−0.02	−0.07	−0.31	−0.99	−1.75	−1.61	−1.44	−1.39	−1.23	−1.20	−1.23	−1.41
	Living−related and personal services and amusement services	0.04	0.11	0.04	−0.08	−0.25	−0.27	−0.27	−0.32	−0.35	−0.34	−0.37	−0.39
	Education, learning support	0.19	0.18	0.08	−0.02	−0.10	−0.01	−0.02	−0.05	−0.01	−0.02	0.00	−0.02
	Medical, health care and welfare	0.18	0.22	0.18	0.06	−0.01	0.03	0.02	0.03	0.04	−0.03	−0.01	0.02
	Services, n.e.c.	0.13	0.18	−0.14	−0.29	−0.46	−0.38	−0.47	−0.27	−0.28	−0.26	−0.30	−0.31

統　計　表

統計表利用上の注意

1　結果数値は表章単位未満を四捨五入（事業従事者数は百人未満を四捨五入）しているため，総数と内訳の合計とは必ずしも一致しない。

2　四半期及び年は，それぞれ，当該3か月又は12か月の四捨五入前の月間数値の平均を四捨五入（事業従事者数は百人未満を四捨五入）しているため，各月の結果数値の平均とは必ずしも一致しない。

3　母集団情報である平成26年経済センサス‐基礎調査において，東日本大震災に関して原子力災害対策特別措置法（平成11年法律第156号）第20条第2項の規定に基づき原子力災害対策本部長が設定した帰還困難区域又は居住制限区域を，調査対象地域から除外しているため，本調査における結果においても含まれていない。

4　サービス産業動向調査では，2年ごとに標本交替を行っている。このため，第1－1表及び第1－2表に掲載する実数（売上高及び事業従事者数）については，この標本交替により生じる変動を過去に遡って調整している。本報告書においては，2018年以前の実数について，2019年1月の標本交替により生じた変動を調整した値（調整値）を掲載している。ただし，2021年1月に母集団情報変更・標本交替を行った際に新たに作成された2020年以前の実数の調整値については，本報告書に掲載していない。なお，調整は産業分類ごとに行っているため，上位分類の調整値は下位分類の調整値の合計とは必ずしも一致しない。

5　前期比の算出方法は，以下のとおりである。

前期比（％）＝｛（当期値－前期値）／前期値｝×100

6　統計表中の「－」は該当数値のないことを，「X」は該当数値を秘匿したことを示す。

Statistical Tables

Notes regarding Statistical Tables

1 Details may not equal totals since the figures are rounded (the number of persons working at the location of establishment is rounded to the nearest hundred).

2 The quarterly and annual averages may not equal the arithmetic mean of the monthly figures given in the tables since they are arithmetic means of the monthly figures before rounding.

3 Difficult-to-Return or Restricted Habitation Area that the Director-General of the Nuclear Emergency Response Headquarters has set in accordance with the provision of Article 20-2 of the Act on Special Measures Concerning Nuclear Emergency Preparedness (Act No.156 of 1999) concerning the Great East Japan Earthquake are excluded from the results of the survey, since these areas were not included in the 2014 Economic Census for Business Frame.

4 The sample establishments are replaced every 2 years. Therefore, differences arising from replacement of the sample establishments for actual figures (sales and the number of persons working at the location of establishment) are adjusted retrospectively in tables 1-1 and 1-2. In this annual report, actual figures for 2018 and earlier are the adjusted figures, which were calculated in accordance with the replacement of sample establishments in January 2019. Yet, these figures are not adjusted values by the change of the population of the survey and the replacement of the sample establishments in January 2021. Furthermore, the sum of adjusted figures for lower-level industrial groups may not equal those for upper-level groups since the adjusted figures were calculated individually for each industry group.

5 "Change over the year" is calculated as follows:

Change over the year (%) = {(Current value – Previous value)/ Previous value}*100

6 In the statistical tables, "-" indicates that there is no relevant data and "X" indicates that the relevant figure is kept confidential.

年　　　　　月	合計 Total	サービス産業計 Service industry	G 情報通信業 Information and communications	37 通信業 Communications	38 放送業 Broadcasting	39 情報サービス業 Information services	40 インターネット 附随サービス業 Internet based services	41 映像・音声・ 文字情報制作業 Video picture, sound information, character information production and distribution
実数（百万円）※								
年平均								
2013年	29, 808, 721	29, 197, 210	4, 333, 180	1, 486, 002	304, 483	1, 784, 425	209, 961	528, 561
2014年	30, 351, 714	29, 824, 433	4, 486, 952	1, 526, 588	318, 285	1, 889, 936	211, 542	523, 876
2015年	31, 257, 318	30, 540, 592	4, 625, 707	1, 515, 363	318, 281	2, 007, 203	227, 826	541, 910
2016年	31, 531, 257	30, 696, 488	4, 713, 184	1, 541, 052	321, 698	2, 053, 805	255, 941	527, 091
2017年	32, 109, 883	31, 279, 344	4, 774, 303	1, 564, 465	317, 887	2, 107, 419	272, 717	511, 427
2018年	32, 651, 230	31, 721, 253	4, 938, 309	1, 668, 735	322, 103	2, 157, 478	278, 831	512, 195
2019年	32, 962, 387	32, 010, 522	5, 027, 410	1, 648, 352	317, 347	2, 226, 056	305, 478	530, 177
2020年	29, 663, 992	28, 736, 724	4, 912, 550	1, 611, 941	290, 408	2, 208, 968	312, 999	488, 233
四半期平均								
2019年　　1～ 3月期	33, 894, 463	32, 860, 709	5, 425, 935	1, 731, 598	332, 890	2, 482, 805	306, 012	572, 630
4～ 6月期	31, 978, 107	31, 088, 743	4, 719, 008	1, 605, 774	312, 532	1, 994, 820	296, 664	509, 218
7～ 9月期	33, 039, 208	32, 085, 830	5, 042, 090	1, 607, 396	311, 354	2, 304, 179	309, 594	509, 568
10～12月期	32, 937, 769	32, 006, 805	4, 922, 608	1, 648, 642	312, 610	2, 122, 420	309, 644	529, 292
2020年　　1～ 3月期	33, 011, 776	31, 874, 491	5, 425, 534	1, 690, 929	314, 365	2, 553, 087	315, 175	551, 979
4～ 6月期	26, 045, 946	25, 250, 441	4, 496, 403	1, 538, 651	266, 700	1, 960, 739	299, 443	430, 870
7～ 9月期	28, 964, 124	28, 073, 673	4, 828, 368	1, 580, 215	278, 556	2, 194, 700	309, 759	465, 139
10～12月期	30, 634, 121	29, 748, 291	4, 899, 894	1, 637, 971	302, 012	2, 127, 346	327, 620	504, 945
月次								
2019年　　1月	30, 903, 009	30, 082, 607	4, 690, 493	1, 705, 833	328, 503	1, 858, 007	285, 621	512, 529
2月	31, 139, 253	30, 283, 820	4, 754, 173	1, 703, 104	304, 500	1, 932, 447	282, 910	531, 212
3月	39, 641, 128	38, 215, 698	6, 833, 140	1, 785, 857	365, 668	3, 657, 961	349, 505	674, 149
4月	31, 920, 900	31, 060, 890	4, 540, 316	1, 611, 266	317, 447	1, 761, 403	302, 927	547, 273
5月	31, 395, 644	30, 522, 355	4, 522, 143	1, 615, 275	308, 946	1, 834, 932	286, 613	476, 377
6月	32, 617, 777	31, 682, 985	5, 094, 565	1, 590, 781	311, 204	2, 388, 126	300, 451	504, 003
7月	32, 475, 124	31, 579, 969	4, 732, 992	1, 571, 146	315, 026	2, 047, 612	299, 947	499, 262
8月	32, 222, 722	31, 317, 218	4, 619, 077	1, 576, 957	301, 212	1, 939, 787	314, 453	486, 668
9月	34, 419, 779	33, 360, 302	5, 774, 201	1, 674, 085	317, 824	2, 925, 138	314, 382	542, 772
10月	31, 870, 961	30, 978, 432	4, 651, 929	1, 646, 177	302, 314	1, 907, 095	294, 263	502, 080
11月	32, 116, 973	31, 213, 315	4, 628, 451	1, 623, 837	312, 035	1, 867, 565	303, 699	521, 314
12月	34, 825, 374	33, 828, 666	5, 487, 445	1, 675, 911	323, 481	2, 592, 601	330, 970	564, 482
2020年　　1月	31, 236, 772	30, 119, 985	4, 803, 713	1, 655, 402	311, 965	2, 021, 421	307, 711	507, 214
2月	31, 037, 586	30, 119, 238	4, 731, 717	1, 640, 958	293, 387	1, 972, 743	300, 230	524, 399
3月	36, 760, 969	35, 384, 249	6, 741, 171	1, 776, 426	337, 742	3, 665, 096	337, 582	624, 325
4月	25, 537, 474	24, 745, 837	4, 352, 819	1, 542, 731	279, 641	1, 754, 934	312, 966	462, 545
5月	24, 184, 521	23, 431, 486	4, 192, 358	1, 513, 330	261, 291	1, 731, 743	284, 180	401, 814
6月	28, 415, 842	27, 573, 999	4, 944, 034	1, 559, 892	259, 169	2, 395, 539	301, 183	428, 251
7月	28, 307, 468	27, 490, 109	4, 515, 386	1, 577, 814	273, 806	1, 908, 356	310, 432	444, 978
8月	28, 046, 321	27, 247, 785	4, 489, 578	1, 557, 630	272, 933	1, 890, 349	305, 987	462, 680
9月	30, 538, 582	29, 483, 124	5, 480, 141	1, 605, 199	288, 930	2, 785, 396	312, 856	487, 760
10月	29, 981, 410	29, 112, 464	4, 569, 529	1, 610, 904	290, 156	1, 864, 232	310, 485	493, 752
11月	29, 702, 234	28, 844, 440	4, 677, 286	1, 644, 239	297, 915	1, 918, 867	328, 768	487, 497
12月	32, 218, 719	31, 287, 968	5, 452, 868	1, 658, 769	317, 964	2, 598, 941	343, 608	533, 586
前年（同期・同月）比（％）								
年平均								
2014年	1.8	2.1	3.5	2.7	4.5	5.9	0.8	-0.9
2015年	3.0	2.4	3.1	-0.7	0.0	6.2	7.7	3.4
2016年	0.9	0.5	1.9	1.7	1.1	2.3	12.3	-2.7
2017年	1.8	1.9	1.3	1.5	-1.2	2.6	6.6	-3.0
2018年	1.7	1.4	3.4	6.7	1.3	2.4	2.2	0.2
2019年	1.0	0.9	1.8	-1.2	-1.5	3.2	9.6	3.5
2020年	-10.0	-10.2	-2.3	-2.2	-8.5	-0.8	2.5	-7.9
四半期平均								
2020年　　1～ 3月期	-2.6	-3.0	0.0	-2.3	-5.6	2.8	3.0	-3.6
4～ 6月期	-18.6	-18.8	-4.7	-4.2	-14.7	-1.7	0.9	-15.4
7～ 9月期	-12.3	-12.5	-4.2	-1.7	-10.5	-4.8	0.1	-8.7
10～12月期	-7.0	-7.1	-0.5	-0.6	-3.4	0.2	5.8	-4.6
月次								
2020年　　1月	1.1	0.1	2.4	-3.0	-5.0	8.8	7.7	-1.0
2月	-0.3	-0.5	-0.5	-3.6	-3.6	2.1	6.1	-1.3
3月	-7.3	-7.4	-1.3	-0.5	-7.6	0.2	-3.4	-7.4
4月	-20.0	-20.3	-4.1	-4.3	-11.9	-0.4	3.3	-15.5
5月	-23.0	-23.2	-7.3	-6.3	-15.4	-5.6	-0.8	-15.7
6月	-12.9	-13.0	-3.0	-1.9	-16.7	0.3	0.2	-15.0
7月	-12.8	-13.0	-4.6	0.4	-13.1	-6.8	3.5	-10.9
8月	-13.0	-13.0	-2.8	-1.2	-9.4	-2.5	-2.7	-4.9
9月	-11.3	-11.6	-5.1	-4.1	-9.1	-4.8	-0.5	-10.1
10月	-5.9	-6.0	-1.8	-2.1	-4.0	-2.2	5.5	-1.7
11月	-7.5	-7.6	1.1	1.3	-4.5	2.7	8.3	-6.5
12月	-7.5	-7.5	-0.6	-1.0	-1.7	0.2	3.8	-5.5

※　2018年以前の実数は，2019年 1 月の標本交替により生じた変動を調整した値である。

（中分類）別売上高
Groups) of Business Activity

合計，サービス産業計，産業（G～H）

（単位 百万円，% Unit 1 mil.yen, %）

H 運輸業，郵便業 Transport and postal activities	42 鉄道業 Railway transport	43 道路旅客運送業 Road passenger transport	44 道路貨物運送業 Road freight transport	45 水運業 Water transport	47 倉庫業 Warehousing	48 運輸に附帯するサービス業 Services incidental to transport	4* 航空運輸業，郵便業（信書便事業を含む） Air transport, postal activities, including mail delivery	Year and month
								Actual figures (1 mil.yen) *
								Annual average
4,882,831	604,168	256,528	1,828,763	569,251	291,976	1,072,012	255,672	2013
5,028,069	619,114	254,914	1,875,216	606,814	295,510	1,117,426	260,084	2014
5,165,336	647,155	267,477	1,878,122	627,459	308,529	1,165,272	272,114	2015
5,125,841	655,388	272,588	1,894,871	551,041	312,356	1,157,386	275,843	2016
5,370,800	671,215	272,729	1,963,526	567,790	334,859	1,273,497	295,985	2017
5,536,722	670,055	268,299	2,083,139	547,785	350,367	1,318,794	304,565	2018
5,619,100	675,041	272,056	2,118,778	551,731	338,186	1,353,893	309,415	2019
4,729,145	408,865	186,153	2,037,681	433,599	332,604	1,182,312	147,931	2020
								Quarter average
5,723,023	672,510	255,615	2,100,606	525,814	349,668	1,525,605	293,205	Jan. - Mar. 2019
5,458,443	664,791	272,273	2,111,272	554,945	332,617	1,230,695	291,851	Apr. - Jun.
5,617,000	692,837	279,901	2,103,183	576,146	326,610	1,297,850	340,474	Jul. - Sep.
5,677,932	670,026	280,435	2,160,053	550,020	343,849	1,361,421	312,128	Oct. - Dec.
5,297,034	582,589	231,681	2,050,351	484,589	327,879	1,382,619	237,327	Jan. - Mar. 2020
4,117,062	267,884	130,683	1,961,344	371,178	323,748	993,183	69,042	Apr. - Jun.
4,519,265	369,023	180,934	1,981,088	418,783	333,275	1,110,553	125,609	Jul. - Sep.
4,983,219	415,965	201,314	2,157,940	459,846	345,513	1,242,895	159,746	Oct. - Dec.
								Monthly
5,216,825	657,794	244,074	1,975,243	508,970	336,239	1,213,042	281,463	Jan. 2019
5,258,942	618,249	240,391	2,057,934	504,715	347,077	1,211,993	278,583	Feb.
6,693,302	741,487	282,379	2,268,641	563,758	365,687	2,151,780	319,570	Mar.
5,519,917	724,012	270,616	2,179,533	545,473	364,368	1,146,228	289,686	Apr.
5,401,862	647,896	271,569	2,042,394	565,729	317,178	1,261,099	295,998	May
5,453,551	622,464	274,633	2,111,887	553,632	316,307	1,284,758	289,870	Jun.
5,645,634	679,396	279,454	2,163,635	574,471	327,290	1,291,162	330,226	Jul.
5,524,062	682,137	281,928	2,030,377	585,533	320,022	1,263,152	360,912	Aug.
5,681,305	716,978	278,320	2,115,536	568,433	332,519	1,339,235	330,284	Sep.
5,625,002	641,046	281,189	2,143,585	567,686	337,941	1,334,867	318,689	Oct.
5,623,071	661,125	283,836	2,122,320	549,699	342,586	1,354,253	309,252	Nov.
5,785,725	707,907	276,281	2,214,253	532,675	351,021	1,395,144	308,445	Dec.
5,072,921	650,154	252,904	1,891,310	484,074	309,164	1,194,864	290,450	Jan. 2020
5,167,596	579,211	236,014	2,041,358	489,111	332,478	1,223,057	266,367	Feb.
5,650,586	518,402	206,124	2,218,386	480,582	341,994	1,729,936	155,163	Mar.
4,167,241	254,320	119,676	2,071,279	394,125	327,605	936,972	63,264	Apr.
3,818,679	234,375	110,103	1,795,793	346,632	311,669	968,760	51,348	May
4,365,266	314,957	162,270	2,016,960	372,778	331,971	1,073,817	92,514	Jun.
4,525,286	350,486	181,618	2,032,832	398,968	335,862	1,104,306	121,214	Jul.
4,351,084	347,749	171,637	1,880,837	427,171	328,534	1,071,503	123,654	Aug.
4,681,424	408,833	189,546	2,029,595	430,211	335,430	1,155,849	131,961	Sep.
4,973,763	432,250	207,899	2,134,588	467,717	341,992	1,230,814	158,503	Oct.
4,884,508	408,231	201,978	2,076,892	463,582	339,022	1,229,156	165,647	Nov.
5,091,386	407,414	194,064	2,262,340	448,240	355,525	1,268,717	155,086	Dec.
								Change over the year (%)
								Annual average
3.0	2.5	-0.6	2.5	6.6	1.2	4.2	1.7	2014
2.7	4.5	4.9	0.2	3.4	4.4	4.3	4.6	2015
-0.8	1.3	1.9	0.9	-12.2	1.2	-0.7	1.4	2016
4.8	2.4	0.1	3.6	3.0	7.2	10.0	7.3	2017
3.1	-0.2	-1.6	6.1	-3.5	4.6	3.6	2.9	2018
1.5	0.7	1.4	1.7	0.7	-3.5	2.7	1.6	2019
-15.8	-39.4	-31.6	-3.8	-21.4	-1.7	-12.7	-52.2	2020
								Quarter average
-7.4	-13.4	-9.4	-2.4	-7.8	-6.2	-9.4	-19.1	Jan. - Mar. 2020
-24.6	-59.7	-52.0	-7.1	-33.1	-2.7	-19.3	-76.3	Apr. - Jun.
-19.5	-46.7	-35.4	-5.8	-27.3	2.0	-14.4	-63.1	Jul. - Sep.
-12.2	-37.9	-28.2	-0.1	-16.4	0.5	-8.7	-48.8	Oct. - Dec.
								Monthly
-2.8	-1.2	3.6	-4.2	-4.9	-8.1	-1.5	3.2	Jan. 2020
-1.7	-6.3	-1.8	-0.8	-3.1	-4.2	0.9	-4.4	Feb.
-15.6	-30.1	-27.0	-2.2	-14.8	-6.5	-19.6	-51.4	Mar.
-24.5	-64.9	-55.8	-5.0	-27.7	-10.1	-18.3	-78.2	Apr.
-29.3	-63.8	-59.5	-12.1	-38.7	-1.7	-23.2	-82.7	May
-20.0	-49.4	-40.9	-4.5	-32.7	5.0	-16.4	-68.1	Jun.
-19.8	-48.4	-35.0	-6.0	-30.6	2.6	-14.5	-63.3	Jul.
-21.2	-49.0	-39.1	-7.4	-27.0	2.7	-15.2	-65.7	Aug.
-17.6	-43.0	-31.9	-4.1	-24.3	0.9	-13.7	-60.0	Sep.
-11.6	-32.6	-26.1	-0.4	-17.6	1.2	-7.8	-50.3	Oct.
-13.1	-38.3	-28.8	-2.1	-15.7	-1.0	-9.2	-46.4	Nov.
-12.0	-42.4	-29.8	2.2	-15.9	1.3	-9.1	-49.7	Dec.

* Because the sample establishments were replaced in January 2019, the actual figures of 2018 and earlier are the adjustment figures.

年　　　　月	K 不動産業, 物品賃貸業 Real estate and goods rental and leasing	68 不動産取引業 Real estate agencies	69 不動産賃貸業 ・管理業 Real estate lessors and managers	70 物品賃貸業 Goods rental and leasing	L 学術研究, 専門・技術 サービス業 1) Scientific research, professional and technical services 1)	72 専門サービス業 （他に分類され ないもの） 2) Professional services, n.e.c. 2)	73 広告業 Advertising	74 技術サービス業 （他に分類され ないもの） Technical services, n.e.c.
実数（百万円）※								
年平均								
2013年	3,532,905	1,004,874	1,610,888	923,774	2,304,624	655,046	742,701	908,515
2014年	3,663,249	1,081,122	1,613,022	963,905	2,411,482	666,004	773,058	969,778
2015年	3,709,478	1,081,107	1,644,790	984,405	2,575,553	721,214	790,598	1,061,709
2016年	3,780,441	1,068,033	1,718,643	996,365	2,674,265	753,806	828,138	1,090,316
2017年	3,925,690	1,135,488	1,757,586	1,034,452	2,678,093	777,228	812,946	1,085,412
2018年	4,008,120	1,175,811	1,785,817	1,049,470	2,681,316	802,210	792,138	1,087,964
2019年	4,106,868	1,152,560	1,852,428	1,101,881	2,740,073	805,319	781,839	1,152,915
2020年	3,978,504	1,078,459	1,821,461	1,078,585	2,651,429	795,597	683,368	1,172,464
四半期平均								
2019年 1～3月期	4,254,752	1,308,099	1,868,548	1,078,105	3,085,431	842,644	852,907	1,389,880
4～6月期	3,988,054	1,121,451	1,822,576	1,044,027	2,580,752	788,559	729,945	1,062,249
7～9月期	4,140,248	1,172,844	1,850,214	1,117,190	2,626,373	788,518	759,564	1,078,291
10～12月期	4,044,420	1,007,845	1,868,374	1,168,201	2,667,736	801,555	784,941	1,081,240
2020年 1～3月期	4,406,019	1,366,833	1,907,164	1,132,022	3,106,329	858,973	816,123	1,431,233
4～6月期	3,744,233	1,009,441	1,727,900	1,006,892	2,422,850	762,271	586,800	1,073,779
7～9月期	3,786,467	907,129	1,819,875	1,059,462	2,467,232	764,770	616,426	1,086,036
10～12月期	3,977,298	1,030,433	1,830,903	1,115,962	2,609,306	796,373	714,123	1,098,810
月次								
2019年 1月	3,669,943	806,585	1,849,024	1,014,334	2,502,680	737,257	821,233	944,189
2月	4,170,322	1,239,963	1,835,192	1,095,166	2,469,942	748,870	695,326	1,025,746
3月	4,923,992	1,877,749	1,921,428	1,124,814	4,283,672	1,041,805	1,042,163	2,199,704
4月	4,040,220	1,164,364	1,830,705	1,045,150	2,591,692	796,514	759,863	1,035,315
5月	3,824,410	991,120	1,807,747	1,025,544	2,386,675	787,250	666,467	932,958
6月	4,099,533	1,208,870	1,829,277	1,061,386	2,763,891	781,911	763,504	1,218,475
7月	3,987,843	1,087,740	1,822,331	1,077,772	2,533,459	799,475	752,314	981,670
8月	3,996,377	1,045,680	1,843,914	1,106,784	2,375,021	775,702	678,190	921,129
9月	4,436,523	1,385,112	1,884,397	1,167,014	2,970,641	790,379	848,189	1,332,074
10月	3,887,329	811,246	1,859,503	1,216,579	2,432,476	750,460	731,365	950,650
11月	3,899,387	906,590	1,846,635	1,146,162	2,541,426	780,457	787,236	973,732
12月	4,346,543	1,305,699	1,898,984	1,141,860	3,029,307	873,748	836,223	1,319,337
2020年 1月	3,835,712	836,354	1,865,717	1,133,642	2,514,382	747,335	774,206	992,841
2月	4,139,018	1,147,372	1,884,324	1,107,322	2,565,334	770,244	672,598	1,122,492
3月	5,243,327	2,116,774	1,971,451	1,155,102	4,239,269	1,059,342	1,001,563	2,178,364
4月	3,824,948	1,062,657	1,754,740	1,007,551	2,471,417	751,073	638,130	1,082,214
5月	3,546,170	900,251	1,672,753	973,166	2,182,611	747,615	512,780	922,217
6月	3,861,582	1,065,413	1,756,208	1,039,960	2,614,523	788,126	609,490	1,216,906
7月	3,693,051	876,654	1,784,228	1,032,169	2,338,245	773,612	610,586	954,046
8月	3,669,039	797,333	1,821,001	1,050,706	2,281,219	751,118	565,168	964,933
9月	3,997,311	1,047,401	1,854,398	1,095,513	2,782,232	769,579	673,524	1,339,129
10月	3,852,210	903,689	1,855,101	1,093,420	2,402,406	783,257	656,159	962,990
11月	3,760,135	843,216	1,799,836	1,117,083	2,473,873	758,212	695,624	1,020,037
12月	4,319,549	1,344,395	1,837,770	1,137,384	2,951,640	847,651	790,587	1,313,402
前年（同期・同月）比（%）								
年平均								
2014年	3.7	7.6	0.1	4.3	4.6	1.7	4.1	6.7
2015年	1.3	0.0	2.0	2.1	6.8	8.3	2.3	9.5
2016年	1.9	-1.2	4.5	1.2	3.8	4.5	4.7	2.7
2017年	3.8	6.3	2.3	3.8	0.1	3.1	-1.8	-0.4
2018年	2.1	3.6	1.6	1.5	0.1	3.2	-2.6	0.2
2019年	2.5	-2.0	3.7	5.0	2.2	0.4	-1.3	6.0
2020年	-3.1	-6.4	-1.7	-2.1	-3.2	-1.2	-12.6	1.7
四半期平均								
2020年 1～3月期	3.6	4.5	2.1	5.0	0.7	1.9	-4.3	3.0
4～6月期	-6.1	-10.0	-5.2	-3.6	-6.1	-3.3	-19.6	1.1
7～9月期	-8.5	-22.7	-1.6	-5.2	-6.1	-3.0	-18.8	0.7
10～12月期	-1.7	2.2	-2.0	-4.5	-2.2	-0.6	-9.0	1.6
月次								
2020年 1月	4.5	3.7	0.9	11.8	0.5	1.4	-5.7	5.2
2月	-0.8	-7.5	2.7	1.1	3.9	2.9	-3.3	9.4
3月	6.5	12.7	2.6	2.7	-1.0	1.7	-3.9	-1.0
4月	-5.3	-8.7	-4.1	-3.6	-4.6	-5.7	-16.0	4.5
5月	-7.3	-9.2	-7.5	-5.1	-8.6	-5.0	-23.1	-1.2
6月	-5.8	-11.9	-4.0	-2.0	-5.4	0.8	-20.2	-0.1
7月	-7.4	-19.4	-2.1	-4.2	-7.7	-3.2	-18.8	-2.8
8月	-8.2	-23.7	-1.2	-5.1	-3.9	-3.2	-16.7	4.8
9月	-9.9	-24.4	-1.6	-6.1	-6.3	-2.6	-20.6	0.5
10月	-0.9	11.4	-0.2	-10.1	-1.2	4.4	-10.3	1.3
11月	-3.6	-7.0	-2.5	-2.5	-2.7	-2.9	-11.6	4.8
12月	-0.6	3.0	-3.2	-0.4	-2.6	-3.0	-5.5	-0.4

※　2018年以前の実数は，2019年1月の標本交替により生じた変動を調整した値である。

1)「学術・開発研究機関」を除く。
2)「純粋持株会社」を除く。
3)「家事サービス業」を除く。

（中分類）別売上高（続き）
Groups) of Business Activity - Continued

産業（K～N）

（単位　百万円，％）　　Unit 1 mil.yen, %)

M 宿泊業,飲食サービス業 Accommodations, eating and drinking services	75 宿泊業 Accommodations	76 飲食店 Eating and drinking places	77 持ち帰り・配達飲食サービス業 Food take out and delivery services	N 生活関連サービス業,娯楽業 Living-related and personal services and amusement services	78 洗濯・理容・美容・浴場業 Laundry, beauty and bath services	79 その他の生活関連サービス業 3) Miscellaneous living-related and personal services 3)	80 娯楽業 Services for amusement and hobbies	Year and month
								Actual figures (1 mil.yen) *
								Annual average
2,326,219	423,839	1,669,577	224,614	4,557,725	518,993	805,638	3,227,622	2013
2,343,164	426,195	1,683,603	225,187	4,479,882	497,736	855,458	3,118,525	2014
2,395,145	436,227	1,726,039	225,969	4,382,607	495,672	858,768	3,016,506	2015
2,422,735	452,454	1,732,992	228,264	4,082,278	489,255	839,345	2,750,092	2016
2,430,141	450,898	1,745,972	230,217	3,922,405	472,473	819,875	2,631,453	2017
2,418,252	444,271	1,742,223	229,039	3,803,991	459,440	799,554	2,547,223	2018
2,417,667	470,601	1,709,803	237,264	3,692,801	464,213	795,739	2,432,848	2019
1,737,923	281,942	1,245,219	210,762	2,716,806	396,088	424,142	1,896,576	2020
								Quarter average
2,317,115	412,965	1,677,588	226,562	3,642,054	428,042	737,044	2,476,969	Jan. - Mar.　2019
2,381,571	446,152	1,701,641	233,777	3,753,228	490,978	799,360	2,462,890	Apr. - Jun.
2,487,264	545,927	1,706,613	234,725	3,730,840	463,341	830,930	2,436,568	Jul. - Sep.
2,484,719	477,358	1,753,370	253,991	3,645,082	474,493	815,623	2,354,966	Oct. - Dec.
2,054,702	336,316	1,504,376	214,009	3,196,184	413,642	583,530	2,199,013	Jan. - Mar.　2020
1,139,272	118,634	835,312	185,326	1,929,108	361,747	266,270	1,301,091	Apr. - Jun.
1,773,624	304,253	1,255,041	214,329	2,774,560	390,122	355,507	2,028,931	Jul. - Sep.
1,984,095	368,566	1,386,147	229,382	2,967,371	418,843	491,260	2,057,268	Oct. - Dec.
								Monthly
2,281,243	402,021	1,648,686	230,536	3,635,907	400,468	669,201	2,566,237	Jan.　2019
2,153,746	383,944	1,550,529	219,273	3,368,488	400,552	711,716	2,256,220	Feb.
2,516,355	452,931	1,833,547	229,876	3,921,769	483,105	830,214	2,608,450	Mar.
2,403,912	440,345	1,729,444	234,122	3,786,025	490,242	799,638	2,496,145	Apr.
2,454,253	489,548	1,730,472	234,234	3,787,544	499,828	782,126	2,505,590	May
2,286,548	408,564	1,645,008	232,977	3,686,116	482,865	816,317	2,386,934	Jun.
2,425,303	495,393	1,692,089	237,822	3,676,214	475,539	787,766	2,412,909	Jul.
2,700,825	664,917	1,813,696	222,211	3,896,591	466,932	849,571	2,580,088	Aug.
2,335,665	477,470	1,614,053	244,141	3,619,716	447,554	855,453	2,316,709	Sep.
2,325,333	477,733	1,597,407	250,193	3,576,709	447,034	845,080	2,284,595	Oct.
2,446,293	493,181	1,704,329	248,783	3,582,777	461,643	836,856	2,284,279	Nov.
2,682,531	461,159	1,958,374	262,998	3,775,760	514,802	764,933	2,496,025	Dec.
2,295,789	403,203	1,660,809	231,777	3,471,103	406,159	639,790	2,425,154	Jan.　2020
2,095,327	362,261	1,509,541	223,525	3,242,512	408,862	662,581	2,171,069	Feb.
1,772,989	243,485	1,342,779	186,726	2,874,938	425,904	448,219	2,000,815	Mar.
941,295	107,520	650,055	183,720	1,627,283	315,355	267,952	1,043,977	Apr.
1,009,845	92,943	747,595	169,307	1,674,189	359,331	243,359	1,071,498	May
1,466,678	155,440	1,108,286	202,952	2,485,851	410,555	287,499	1,787,797	Jun.
1,720,418	252,084	1,246,032	222,302	2,753,033	399,570	334,600	2,018,864	Jul.
1,819,295	353,164	1,263,503	202,627	2,891,402	391,438	359,626	2,140,338	Aug.
1,781,158	307,510	1,255,589	218,059	2,679,246	379,358	372,294	1,927,593	Sep.
1,989,108	386,341	1,374,550	228,217	2,945,047	414,790	479,495	2,050,762	Oct.
1,980,687	392,019	1,364,231	224,436	2,915,289	392,438	514,779	2,008,072	Nov.
1,982,489	327,338	1,419,659	235,492	3,041,779	449,301	479,507	2,112,971	Dec.
								Change over the year (%)
								Annual average
0.7	0.6	0.8	0.3	-1.7	-4.1	6.2	-3.4	2014
2.2	2.4	2.5	0.3	-2.2	-0.4	0.4	-3.3	2015
1.2	3.7	0.4	1.0	-6.9	-1.3	-2.3	-8.8	2016
0.3	-0.3	0.7	0.9	-3.9	-3.4	-2.3	-4.3	2017
-0.5	-1.5	-0.2	-0.5	-3.0	-2.8	-2.5	-3.2	2018
0.0	5.9	-1.9	3.6	-2.9	1.0	-0.5	-4.5	2019
-28.1	-40.1	-27.2	-11.2	-26.4	-14.7	-46.7	-22.0	2020
								Quarter average
-11.3	-18.6	-10.3	-5.5	-12.2	-3.4	-20.8	-11.2	Jan. - Mar.　2020
-52.2	-73.4	-50.9	-20.7	-48.6	-26.3	-66.7	-47.2	Apr. - Jun.
-28.7	-44.3	-26.5	-8.7	-25.6	-15.8	-57.2	-16.7	Jul. - Sep.
-20.1	-22.8	-20.9	-9.7	-18.6	-11.7	-39.8	-12.6	Oct. - Dec.
								Monthly
0.6	0.3	0.7	0.5	-4.5	1.4	-4.4	-5.5	Jan.　2020
-2.7	-5.6	-2.6	1.9	-3.7	2.1	-6.9	-3.8	Feb.
-29.5	-46.2	-26.8	-18.8	-26.7	-11.8	-46.0	-23.3	Mar.
-60.8	-75.6	-62.4	-21.5	-57.0	-35.7	-66.5	-58.2	Apr.
-58.9	-81.0	-56.8	-27.7	-55.8	-28.1	-68.9	-57.2	May
-35.9	-62.0	-32.6	-12.9	-32.6	-15.0	-64.8	-25.1	Jun.
-29.1	-49.1	-26.4	-6.5	-25.1	-16.0	-57.5	-16.3	Jul.
-32.6	-46.9	-30.3	-8.8	-25.8	-16.2	-57.7	-17.0	Aug.
-23.7	-35.6	-22.2	-10.7	-26.0	-15.2	-56.5	-16.8	Sep.
-14.5	-19.1	-14.0	-8.8	-17.7	-7.2	-43.3	-10.2	Oct.
-19.0	-20.5	-20.0	-9.8	-18.6	-15.0	-38.5	-12.1	Nov.
-26.1	-29.0	-27.5	-10.5	-19.4	-12.7	-37.3	-15.3	Dec.

* Because the sample establishments were replaced in January 2019, the actual figures of 2018 and earlier are the adjustment figures.

1) Excluding "scientific and development research institutes"

2) Excluding "pure holding companies"

3) Excluding "domestic services"

年　　　　月	O 教育, 学習支援業 4) Education, learning support 4)	82 その他の 教育, 学習 支援業 Miscellaneous education, learning support	82a うち社会教育, 職業・教育 支援施設 of which social education and vocational and educational support facilities	82b うち学習塾, 教養・技能 教授業 of which supplementary tutorial schools and instruction service for arts, culture and technicals	P 医療, 福祉 Medical, health care and welfare	83 医療業 Medical and other health services	84 保健衛生 5) Public health and hygiene 5)	85 社会保険・ 社会福祉・ 介護事業 6) Social insurance and social welfare 6)
実数（百万円） ※								
年平均								
2013年	323,587	323,587	69,412	206,832	4,203,853	3,095,208	48,609	1,059,934
2014年	309,817	309,817	69,490	193,535	4,272,124	3,129,556	51,123	1,095,509
2015年	306,021	306,021	66,538	194,810	4,415,317	3,250,008	48,776	1,118,317
2016年	304,374	304,374	66,844	194,201	4,532,814	3,333,691	51,351	1,150,269
2017年	313,672	313,672	65,153	200,870	4,589,354	3,331,487	57,079	1,202,632
2018年	319,222	319,222	61,070	209,653	4,651,004	3,363,150	55,902	1,232,196
2019年	323,016	323,016	59,815	205,300	4,692,637	3,394,390	52,057	1,246,190
2020年	281,601	281,601	47,000	177,372	4,523,222	3,238,446	46,962	1,237,814
四半期平均								
2019年　1～ 3月期	324,192	324,192	55,177	205,847	4,664,424	3,375,455	49,608	1,239,360
4～ 6月期	308,227	308,227	64,026	193,056	4,617,425	3,337,874	48,610	1,230,941
7～ 9月期	340,542	340,542	63,798	214,835	4,702,415	3,392,696	57,061	1,252,659
10～12月期	319,102	319,102	56,257	207,461	4,786,284	3,471,535	52,950	1,261,799
2020年　1～ 3月期	309,760	309,760	48,554	191,432	4,627,738	3,331,581	46,754	1,249,403
4～ 6月期	205,330	205,330	38,576	127,823	4,224,155	2,985,866	33,458	1,204,831
7～ 9月期	299,749	299,749	48,783	191,713	4,523,503	3,231,194	51,336	1,240,972
10～12月期	311,566	311,566	52,086	198,518	4,717,492	3,405,142	56,300	1,256,051
月次								
2019年　　1月	317,247	317,247	49,186	212,051	4,642,056	3,358,421	45,900	1,237,735
2月	310,997	310,997	49,643	195,358	4,491,628	3,243,723	46,144	1,201,761
3月	344,332	344,332	66,702	210,134	4,859,587	3,524,222	56,780	1,278,585
4月	328,084	328,084	64,114	209,112	4,614,920	3,344,604	42,584	1,227,737
5月	298,283	298,283	63,933	183,769	4,598,770	3,315,984	46,247	1,236,539
6月	298,315	298,315	64,032	186,286	4,638,579	3,353,034	56,999	1,228,547
7月	321,749	321,749	60,911	211,494	4,825,632	3,503,539	60,745	1,261,348
8月	356,978	356,978	66,038	220,538	4,653,219	3,355,782	49,957	1,247,480
9月	342,899	342,899	64,447	212,474	4,628,395	3,318,766	60,482	1,249,147
10月	308,625	308,625	56,573	201,335	4,785,708	3,466,597	59,125	1,259,986
11月	312,966	312,966	59,448	199,186	4,753,382	3,444,397	54,012	1,254,973
12月	335,714	335,714	52,750	221,863	4,819,762	3,503,610	45,715	1,270,437
2020年　　1月	314,417	314,417	46,344	208,612	4,639,971	3,354,603	40,283	1,245,085
2月	319,625	319,625	49,223	191,618	4,520,189	3,260,394	39,566	1,220,229
3月	295,238	295,238	50,094	174,064	4,723,054	3,379,745	60,413	1,282,895
4月	201,271	201,271	34,994	128,460	4,182,292	2,955,147	30,247	1,196,899
5月	159,847	159,847	30,498	102,266	4,046,895	2,831,900	24,568	1,190,427
6月	254,871	254,871	50,234	152,745	4,443,277	3,170,553	45,557	1,227,167
7月	288,331	288,331	47,584	184,198	4,571,756	3,272,397	51,935	1,247,424
8月	308,356	308,356	47,366	196,553	4,466,081	3,187,404	45,464	1,233,213
9月	302,562	302,562	51,400	194,390	4,532,672	3,233,783	56,610	1,242,280
10月	303,859	303,859	54,318	192,014	4,829,207	3,496,200	60,087	1,272,921
11月	307,480	307,480	54,829	193,598	4,579,843	3,294,793	55,758	1,229,292
12月	323,360	323,360	47,111	209,943	4,743,426	3,424,432	53,054	1,265,941
前年（同期・同月）比（%）								
年平均								
2014年	-4.3	-4.3	0.1	-6.4	1.6	1.1	5.2	3.4
2015年	-1.2	-1.2	-4.2	0.7	3.4	3.8	-4.6	2.1
2016年	-0.5	-0.5	0.5	-0.3	2.7	2.6	5.3	2.9
2017年	3.1	3.1	-2.5	3.4	1.2	-0.1	11.2	4.6
2018年	1.8	1.8	-6.3	4.4	1.3	1.0	-2.1	2.5
2019年	1.2	1.2	-2.1	-2.1	0.9	0.9	-6.9	1.1
2020年	-12.8	-12.8	-21.4	-13.6	-3.6	-4.6	-9.8	-0.7
四半期平均								
2020年　1～ 3月期	-4.5	-4.5	-12.0	-7.0	-0.8	-1.3	-5.8	0.8
4～ 6月期	-33.4	-33.4	-39.7	-33.8	-8.5	-10.5	-31.2	-2.1
7～ 9月期	-12.0	-12.0	-23.5	-10.8	-3.8	-4.8	-10.0	-0.9
10～12月期	-2.4	-2.4	-7.4	-4.3	-1.4	-1.9	6.3	-0.5
月次								
2020年　　1月	-0.9	-0.9	-5.8	-1.6	0.0	-0.1	-12.2	0.6
2月	2.8	2.8	-0.8	-1.9	0.6	0.5	-14.3	1.5
3月	-14.3	-14.3	-24.9	-17.2	-2.8	-4.1	6.4	0.3
4月	-38.7	-38.7	-45.4	-38.6	-9.4	-11.6	-29.0	-2.5
5月	-46.4	-46.4	-52.3	-44.4	-12.0	-14.6	-46.9	-3.7
6月	-14.6	-14.6	-21.5	-18.0	-4.2	-5.4	-20.1	-0.1
7月	-10.4	-10.4	-21.9	-12.9	-5.3	-6.6	-14.5	-1.1
8月	-13.6	-13.6	-28.3	-10.9	-4.0	-5.0	-9.0	-1.1
9月	-11.8	-11.8	-20.2	-8.5	-2.1	-2.6	-6.4	-0.5
10月	-1.5	-1.5	-4.0	-4.6	0.9	0.9	1.6	1.0
11月	-1.8	-1.8	-7.8	-2.8	-3.7	-4.3	3.2	-2.0
12月	-3.7	-3.7	-10.7	-5.4	-1.6	-2.3	16.1	-0.4

※　2018年以前の実数は，2019年1月の標本交替により生じた変動を調整した値である。

4)「学校教育」を除く。
5)「保健所」を除く。
6)「社会保険事業団体」及び「福祉事務所」を除く。
7)「政治・経済・文化団体」，「宗教」及び「外国公務」を除く。

（中分類）別売上高（続き）
Groups) of Business Activity - Continued

産業（O～R），その他

（単位 百万円，％）　Unit 1 mil.yen, %)

R サービス業 (他に分類されないもの) 7) / Services, n.e.c. 7)	88 廃棄物処理業 / Waste disposal business	89 自動車整備業 / Automobile maintenance services	90 機械等修理業 (別掲を除く) / Machine, etc. repair services, except otherwise classified	91 職業紹介・労働者派遣業 / Employment and worker dispatching services	92 その他の事業サービス業 / Miscellaneous business services	95 その他のサービス業 / Miscellaneous services	その他 / Others	Year and month
								Actual figures (1 mil.yen) *
								Annual average
2,811,379	268,352	229,551	284,807	496,301	1,529,660	25,143	674,055	2013
2,872,918	277,448	239,884	284,262	501,918	1,568,815	25,767	618,123	2014
3,005,372	297,269	247,600	334,229	531,180	1,575,076	29,224	756,446	2015
3,094,401	315,244	257,453	345,390	573,601	1,578,733	31,529	838,555	2016
3,280,894	343,050	261,747	378,856	587,044	1,679,405	32,193	831,908	2017
3,376,981	357,269	260,372	376,450	612,851	1,739,779	32,849	929,003	2018
3,390,949	373,024	270,540	367,520	624,229	1,721,047	34,588	951,865	2019
3,205,542	381,337	250,218	356,684	579,212	1,610,852	27,240	927,268	2020
								Quarter average
3,423,782	359,073	278,960	409,558	604,754	1,738,263	33,175	1,033,755	Jan. - Mar. 2019
3,282,034	362,444	266,338	347,546	618,375	1,650,688	36,643	889,364	Apr. - Jun.
3,399,057	374,628	265,723	368,316	630,947	1,725,957	33,486	953,378	Jul. - Sep.
3,458,922	395,951	271,140	344,659	642,839	1,769,282	35,050	930,965	Oct. - Dec.
3,451,191	394,011	255,856	396,830	601,824	1,773,412	29,257	1,137,285	Jan. - Mar. 2020
2,972,027	365,008	236,791	319,893	558,374	1,467,763	24,198	795,505	Apr. - Jun.
3,100,904	370,842	247,076	345,992	562,679	1,547,503	26,811	890,451	Jul. - Sep.
3,298,048	395,485	261,148	364,020	593,970	1,654,730	28,696	885,830	Oct. - Dec.
								Monthly
3,126,213	327,059	244,600	344,689	569,543	1,608,913	31,408	820,401	Jan. 2019
3,305,582	344,403	280,137	395,793	603,106	1,649,444	32,699	855,433	Feb.
3,839,551	405,757	312,143	488,191	641,612	1,956,432	35,417	1,425,430	Mar.
3,235,800	359,331	266,731	333,948	625,251	1,609,088	41,451	860,010	Apr.
3,248,415	361,232	262,167	350,431	601,945	1,638,226	34,414	873,289	May
3,361,886	366,769	270,115	358,260	627,927	1,704,749	34,066	934,792	Jun.
3,431,144	382,058	272,697	372,923	663,281	1,705,996	34,189	895,155	Jul.
3,195,069	357,649	239,800	329,349	595,519	1,641,224	31,528	905,503	Aug.
3,570,957	384,177	284,672	402,676	634,042	1,830,651	34,739	1,059,477	Sep.
3,385,323	397,245	269,931	322,619	648,754	1,712,522	34,253	892,529	Oct.
3,425,564	389,323	273,529	351,643	643,697	1,732,707	34,665	903,657	Nov.
3,565,879	401,286	269,959	359,716	636,066	1,862,617	36,234	996,708	Dec.
3,171,976	364,487	226,011	316,804	589,425	1,643,507	31,742	1,116,787	Jan. 2020
3,337,920	376,933	246,765	384,944	592,849	1,705,742	30,686	918,349	Feb.
3,843,676	440,613	294,793	488,743	623,199	1,970,985	25,343	1,376,720	Mar.
2,977,271	376,260	243,384	298,381	581,277	1,449,773	28,197	791,637	Apr.
2,800,892	344,595	213,962	313,343	511,516	1,397,046	20,430	753,034	May
3,137,917	374,170	253,026	347,953	582,329	1,556,471	23,968	841,843	Jun.
3,084,603	371,941	251,892	335,653	582,322	1,515,841	26,955	817,359	Jul.
2,971,731	359,940	229,967	335,000	530,363	1,490,416	26,046	798,536	Aug.
3,246,377	380,645	259,369	367,325	575,353	1,636,254	27,432	1,055,458	Sep.
3,247,335	396,187	266,696	346,249	603,842	1,605,417	28,944	868,946	Oct.
3,265,339	389,711	260,402	361,407	586,480	1,639,140	28,199	857,794	Nov.
3,381,471	400,557	256,344	384,405	591,588	1,719,633	28,944	930,751	Dec.
								Change over the year (%)
								Annual average
2.2	3.4	4.5	-0.2	1.1	2.6	2.5	-8.3	2014
4.6	7.1	3.2	17.6	5.8	0.4	13.4	22.4	2015
3.0	6.0	4.0	3.3	8.0	0.2	7.9	10.9	2016
6.0	8.8	1.7	9.7	2.3	6.4	2.1	-0.8	2017
2.9	4.1	-0.5	-0.6	4.4	3.6	2.0	11.7	2018
0.4	4.4	3.9	-2.4	1.9	-1.1	5.3	2.5	2019
-5.5	2.2	-7.5	-2.9	-7.2	-6.4	-21.2	-2.6	2020
								Quarter average
0.8	9.7	-8.3	-3.1	-0.5	2.0	-11.8	10.0	Jan. - Mar. 2020
-9.4	0.7	-11.1	-8.0	-9.7	-11.1	-34.0	-10.6	Apr. - Jun.
-8.8	-1.0	-7.0	-6.1	-10.8	-10.3	-19.9	-6.6	Jul. - Sep.
-4.7	-0.1	-3.7	5.6	-7.6	-6.5	-18.1	-4.8	Oct. - Dec.
								Monthly
1.5	11.4	-7.6	-8.1	3.5	2.2	1.1	36.1	Jan. 2020
1.0	9.4	-11.9	-2.7	-1.7	3.4	-6.2	7.4	Feb.
0.1	8.6	-5.6	0.1	-2.9	0.7	-28.4	-3.4	Mar.
-8.0	4.7	-8.8	-10.7	-7.0	-9.9	-32.0	-8.0	Apr.
-13.8	-4.6	-18.4	-10.6	-15.0	-14.7	-40.6	-13.8	May
-6.7	2.0	-6.3	-2.9	-7.3	-8.7	-29.6	-9.9	Jun.
-10.1	-2.6	-7.6	-10.0	-12.2	-11.1	-21.2	-8.7	Jul.
-7.0	0.6	-4.1	1.7	-10.9	-9.2	-17.4	-11.8	Aug.
-9.1	-0.9	-8.9	-8.8	-9.3	-10.6	-21.0	-0.4	Sep.
-4.1	-0.3	-1.2	7.3	-6.9	-6.3	-15.5	-2.6	Oct.
-4.7	0.1	-4.8	2.8	-8.9	-5.4	-18.7	-5.1	Nov.
-5.2	-0.2	-5.0	6.9	-7.0	-7.7	-20.1	-6.6	Dec.

* Because the sample establishments were replaced in January 2019, the actual figures of 2018 and earlier are the adjustment figures.

4) Excluding "school education"
5) Excluding "public health centers"
6) Excluding "social insurance organizations" and "welfare offices"
7) Excluding "political, business and cultural organizations", "religion" and "foreign governments and international agencies in Japan"

年　　　　月	合計 Total	サービス産業計 Service industry	G 情報通信業 Information and communications	37 通信業 Communications	38 放送業 Broadcasting	39 情報サービス業 Information services	40 インターネット附随サービス業 Internet based services	41 映像・音声・文字情報制作業 Video picture, sound information, character information production and distribution
実数（人）※								
年平均								
2013年	28,928,700	28,946,100	1,701,700	170,400	80,500	1,108,800	85,000	252,300
2014年	29,186,700	29,197,100	1,743,600	170,000	80,500	1,150,300	86,900	252,100
2015年	29,373,000	29,381,800	1,778,200	174,700	80,000	1,174,100	90,400	255,000
2016年	29,511,000	29,509,000	1,808,300	171,800	80,800	1,197,000	101,900	255,800
2017年	29,860,800	29,857,200	1,852,700	178,800	83,000	1,226,100	106,900	256,800
2018年	30,090,700	30,084,700	1,898,300	191,100	83,300	1,256,500	113,100	254,100
2019年	30,195,300	30,186,200	1,942,500	197,100	82,700	1,294,400	115,700	252,600
2020年	29,727,800	29,711,900	1,973,100	196,300	82,400	1,317,000	124,200	253,100
四半期平均								
2019年　1～ 3月期	30,068,200	30,061,900	1,911,900	192,900	83,100	1,270,300	114,500	251,000
4～ 6月期	30,212,800	30,206,400	1,950,400	197,900	82,800	1,300,100	115,900	253,700
7～ 9月期	30,243,300	30,233,900	1,956,500	200,300	81,800	1,305,500	115,800	253,200
10～12月期	30,256,800	30,242,700	1,951,100	197,200	82,900	1,301,700	116,800	252,500
2020年　1～ 3月期	30,196,000	30,181,800	1,954,000	193,000	82,300	1,304,200	121,900	252,700
4～ 6月期	29,484,600	29,468,800	1,984,500	195,900	82,700	1,328,200	124,700	253,100
7～ 9月期	29,542,800	29,526,600	1,978,900	197,000	82,400	1,320,600	124,400	254,600
10～12月期	29,687,700	29,670,500	1,974,900	199,400	82,300	1,315,200	126,000	251,900
月次								
2019年　　1月	30,043,500	30,037,100	1,909,900	192,000	83,100	1,267,500	114,000	253,200
2月	30,006,400	30,000,100	1,916,500	193,200	82,900	1,273,700	115,600	251,100
3月	30,154,700	30,148,500	1,909,300	193,600	83,200	1,269,900	114,000	248,700
4月	30,231,400	30,225,100	1,946,000	197,100	83,100	1,295,900	115,900	254,100
5月	30,199,500	30,193,100	1,949,900	196,300	82,800	1,301,000	115,900	253,800
6月	30,207,400	30,201,000	1,955,300	200,100	82,600	1,303,300	115,900	253,300
7月	30,289,400	30,282,500	1,960,500	201,100	82,600	1,307,100	115,800	253,800
8月	30,248,400	30,241,400	1,957,500	202,000	81,500	1,305,400	115,400	253,200
9月	30,192,200	30,177,900	1,951,500	197,800	81,300	1,303,800	116,100	252,500
10月	30,192,200	30,178,100	1,951,700	197,400	82,900	1,303,700	115,600	252,100
11月	30,274,700	30,260,600	1,951,900	197,000	82,900	1,302,000	117,000	253,000
12月	30,303,600	30,289,500	1,949,800	197,200	83,000	1,299,300	117,900	252,400
2020年　　1月	30,236,700	30,222,500	1,955,300	192,200	82,800	1,305,800	121,800	252,700
2月	30,247,800	30,233,600	1,955,900	193,600	82,300	1,305,500	122,100	252,300
3月	30,103,600	30,089,200	1,950,900	193,100	81,800	1,301,300	121,700	253,000
4月	29,722,700	29,707,100	1,987,400	196,500	82,800	1,330,300	124,400	253,400
5月	29,308,000	29,292,200	1,984,900	195,600	82,800	1,328,900	125,200	252,500
6月	29,423,100	29,407,300	1,981,400	195,700	82,600	1,325,300	124,400	253,400
7月	29,549,700	29,533,800	1,980,300	196,800	82,400	1,322,400	124,100	254,500
8月	29,553,400	29,537,400	1,978,600	197,000	82,400	1,320,700	124,600	253,800
9月	29,525,200	29,508,500	1,977,900	197,200	82,200	1,318,500	124,400	255,600
10月	29,663,500	29,646,800	1,973,700	197,400	82,200	1,317,000	125,100	252,100
11月	29,695,200	29,677,700	1,974,000	198,200	82,400	1,315,400	126,000	251,900
12月	29,704,400	29,687,000	1,977,000	202,700	82,400	1,313,300	126,900	251,700
前年（同期・同月）比（％）								
年平均								
2014年	0.9	0.9	2.5	-0.3	0.0	3.7	2.3	-0.1
2015年	0.6	0.6	2.0	2.8	-0.6	2.1	4.0	1.2
2016年	0.5	0.4	1.7	-1.7	1.0	2.0	12.8	0.3
2017年	1.2	1.2	2.5	4.1	2.8	2.4	4.9	0.4
2018年	0.8	0.8	2.5	6.9	0.4	2.5	5.8	-1.1
2019年	0.3	0.3	2.3	3.1	-0.7	3.0	2.3	-0.6
2020年	-1.5	-1.6	1.6	-0.4	-0.4	1.7	7.3	0.2
四半期平均								
2020年　1～ 3月期	0.4	0.4	2.2	0.1	-1.0	2.7	6.5	0.7
4～ 6月期	-2.4	-2.4	1.7	-1.0	-0.1	2.2	7.6	-0.2
7～ 9月期	-2.3	-2.3	1.1	-1.6	0.7	1.2	7.4	0.6
10～12月期	-1.9	-1.9	1.2	1.1	-0.7	1.0	7.9	-0.2
月次								
2020年　　1月	0.6	0.6	2.4	0.1	-0.4	3.0	6.8	-0.2
2月	0.8	0.8	2.1	0.2	-0.7	2.5	5.6	0.5
3月	-0.2	-0.2	2.2	-0.3	-1.7	2.5	6.8	1.7
4月	-1.7	-1.7	2.1	-0.3	-0.4	2.7	7.3	-0.3
5月	-3.0	-3.0	1.8	-0.4	0.0	2.1	8.0	-0.5
6月	-2.6	-2.6	1.3	-2.2	0.0	1.7	7.3	0.0
7月	-2.4	-2.5	1.0	-2.1	-0.2	1.2	7.2	0.3
8月	-2.3	-2.3	1.1	-2.5	1.1	1.2	8.0	0.2
9月	-2.2	-2.2	1.4	-0.3	1.1	1.1	7.1	1.2
10月	-1.8	-1.8	1.1	0.0	-0.8	1.0	8.2	0.0
11月	-1.9	-1.9	1.1	0.6	-0.6	1.0	7.7	-0.4
12月	-2.0	-2.0	1.4	2.8	-0.7	1.1	7.6	-0.3

※　2018年以前の実数は，2019年１月の標本交替により生じた変動を調整した値である。

（中分類）別事業従事者数
by Industry (Medium Groups) of Establishment and Enterprise, etc.

合計，サービス産業計，産業（G〜H）

（単位 人，％　Unit person, %)

H 運輸業，郵便業 Transport and postal activities	42 鉄道業 Railway transport	43 道路旅客運送業 Road passenger transport	44 道路貨物運送業 Road freight transport	45 水運業 Water transport	47 倉庫業 Warehousing	48 運輸に附帯する サービス業 Services incidental to transport	4* 航空運輸業，郵便業（信書便事業を含む）Air transport, postal activities, including mail delivery	Year and month
								Actual figures (Person) *
								Annual average
3,537,300	280,500	586,100	1,926,500	63,300	174,700	434,400	53,500	2013
3,578,300	273,500	575,000	1,977,700	63,200	174,700	442,700	54,100	2014
3,613,400	267,600	563,900	2,010,800	63,600	172,800	475,800	52,900	2015
3,648,400	265,200	547,200	2,058,800	64,400	175,400	479,100	53,100	2016
3,686,500	264,600	531,900	2,086,900	64,400	184,900	496,700	52,100	2017
3,717,700	261,800	524,200	2,115,700	65,300	185,600	508,200	54,200	2018
3,679,300	261,800	521,700	2,080,900	66,700	184,900	507,400	55,900	2019
3,591,600	260,300	513,500	2,012,900	59,400	183,600	503,700	58,200	2020
								Quarter average
3,728,000	267,800	522,200	2,126,300	65,600	184,800	506,100	55,200	Jan. - Mar. 2019
3,702,400	260,300	518,300	2,109,500	67,200	184,400	506,600	56,000	Apr. - Jun.
3,659,000	258,400	522,200	2,064,500	67,400	184,600	505,600	56,300	Jul. - Sep.
3,627,800	260,800	524,000	2,023,500	66,500	185,900	511,300	55,900	Oct. - Dec.
3,651,500	265,900	530,300	2,056,200	58,400	183,400	500,800	56,500	Jan. - Mar. 2020
3,539,900	258,600	520,700	1,961,700	60,200	184,100	496,400	58,200	Apr. - Jun.
3,537,300	257,000	504,700	1,976,500	59,700	183,200	497,000	59,200	Jul. - Sep.
3,637,800	259,600	498,200	2,057,400	59,300	183,500	520,800	59,100	Oct. - Dec.
								Monthly
3,652,400	267,600	519,300	2,054,200	65,100	184,600	506,500	55,100	Jan. 2019
3,715,300	269,500	523,900	2,111,200	64,800	184,900	505,800	55,200	Feb.
3,816,100	266,200	523,300	2,213,500	66,800	184,800	506,100	55,400	Mar.
3,766,700	262,700	520,400	2,168,000	67,100	184,300	508,400	55,900	Apr.
3,660,500	259,600	518,300	2,069,300	67,300	184,900	505,100	56,000	May
3,680,000	258,600	516,200	2,091,200	67,300	184,000	506,300	56,300	Jun.
3,677,100	258,500	522,500	2,081,500	68,100	184,300	505,600	56,500	Jul.
3,638,400	258,600	521,100	2,045,900	67,100	183,600	505,700	56,500	Aug.
3,661,400	258,000	523,100	2,066,100	66,800	185,900	505,700	55,800	Sep.
3,606,200	257,500	521,900	2,008,500	66,500	185,200	510,700	55,800	Oct.
3,635,900	259,800	524,400	2,031,300	66,300	186,300	511,400	56,300	Nov.
3,641,400	265,000	525,700	2,030,600	66,600	186,100	511,700	55,700	Dec.
3,573,800	267,200	530,400	1,980,900	58,700	184,300	496,700	55,700	Jan. 2020
3,659,700	268,200	529,700	2,058,300	57,900	183,000	506,000	56,500	Feb.
3,721,000	262,400	530,700	2,129,300	58,500	183,100	499,700	57,300	Mar.
3,595,100	260,000	524,000	2,012,400	60,100	183,400	496,900	58,300	Apr.
3,498,100	258,100	519,400	1,920,600	60,200	184,400	497,400	58,000	May
3,526,600	257,700	518,800	1,952,000	60,400	184,600	494,900	58,300	Jun.
3,562,300	257,200	508,800	1,996,100	60,000	183,500	497,600	59,100	Jul.
3,521,200	257,200	506,000	1,959,900	59,400	183,100	496,500	59,200	Aug.
3,528,300	256,700	499,300	1,973,600	59,700	183,100	496,800	59,200	Sep.
3,621,600	256,900	499,500	2,045,900	59,200	183,100	518,100	59,000	Oct.
3,627,200	258,900	499,700	2,046,100	59,000	183,800	520,400	59,100	Nov.
3,664,500	263,000	495,300	2,080,100	59,600	183,400	524,000	59,100	Dec.
								Change over the year (%)
								Annual average
1.2	-2.5	-1.9	2.7	-0.2	0.0	1.9	1.1	2014
1.0	-2.1	-1.9	1.7	0.6	-1.1	7.5	-2.1	2015
1.0	-0.9	-3.0	2.4	1.3	1.5	0.7	0.3	2016
1.0	-0.2	-2.8	1.4	0.0	5.4	3.7	-1.9	2017
0.8	-1.1	-1.4	1.4	1.4	0.4	2.3	4.0	2018
-1.0	0.0	-0.5	-1.6	2.1	-0.4	-0.2	3.1	2019
-2.4	-0.6	-1.6	-3.3	-10.9	-0.7	-0.7	4.1	2020
								Quarter average
-2.1	-0.7	1.6	-3.3	-11.0	-0.8	-1.0	2.4	Jan. - Mar. 2020
-4.4	-0.7	0.5	-7.0	-10.4	-0.2	-2.0	3.9	Apr. - Jun.
-3.3	-0.5	-3.4	-4.3	-11.4	-0.8	-1.7	5.2	Jul. - Sep.
0.3	-0.5	-4.9	1.7	-10.8	-1.3	1.9	5.7	Oct. - Dec.
								Monthly
-2.2	-0.1	2.1	-3.6	-9.8	-0.2	-1.9	1.1	Jan. 2020
-1.5	-0.5	1.1	-2.5	-10.6	-1.0	0.0	2.4	Feb.
-2.5	-1.4	1.4	-3.8	-12.4	-0.9	-1.3	3.4	Mar.
-4.6	-1.0	0.7	-7.2	-10.4	-0.5	-2.3	4.3	Apr.
-4.4	-0.6	0.2	-7.2	-10.5	-0.3	-1.5	3.6	May
-4.2	-0.3	0.5	-6.7	-10.3	0.3	-2.3	3.6	Jun.
-3.1	-0.5	-2.6	-4.1	-11.9	-0.4	-1.6	4.6	Jul.
-3.2	-0.5	-2.9	-4.2	-11.5	-0.3	-1.8	4.8	Aug.
-3.6	-0.5	-4.5	-4.5	-10.6	-1.5	-1.8	6.1	Sep.
0.4	-0.2	-4.3	1.9	-11.0	-1.1	1.4	5.7	Oct.
-0.2	-0.3	-4.7	0.7	-11.0	-1.3	1.8	5.0	Nov.
0.6	-0.8	-5.8	2.4	-10.5	-1.5	2.4	6.1	Dec.

* Because the sample establishments were replaced in January 2019, the actual figures of 2018 and earlier are the adjustment figures.

年　　　　月	K 不動産業, 物品賃貸業 Real estate and goods rental and leasing	68 不動産取引業 Real estate agencies	69 不動産賃貸業・管理業 Real estate lessors and managers	70 物品賃貸業 Goods rental and leasing	L 学術研究, 専門・技術 サービス業 1) Scientific research, professional and technical services 1)	72 専門サービス業 (他に分類され ないもの) 2) Professional services, n.e.c. 2)	73 広告業 Advertising	74 技術サービス業 (他に分類され ないもの) Technical services, n.e.c.
実数（人）※								
年平均								
2013年	1,561,500	332,700	921,500	308,400	1,661,100	686,000	124,400	851,200
2014年	1,579,900	336,900	926,100	317,400	1,680,200	693,900	132,300	853,600
2015年	1,586,200	334,700	927,500	324,200	1,703,800	698,800	136,400	867,100
2016年	1,592,800	330,500	929,300	333,000	1,740,600	724,300	138,400	878,200
2017年	1,596,300	331,500	932,400	332,600	1,779,100	730,200	142,500	906,500
2018年	1,599,100	330,100	936,300	332,800	1,784,600	736,600	145,100	902,800
2019年	1,631,000	338,600	946,200	346,100	1,789,600	726,500	142,500	920,600
2020年	1,631,600	340,700	945,600	345,300	1,800,900	732,600	144,200	924,100
四半期平均								
2019年　　1〜 3月期	1,613,300	335,600	939,300	338,300	1,780,800	729,900	143,400	907,500
4〜 6月期	1,627,500	338,700	945,200	343,600	1,796,900	728,200	143,400	925,300
7〜 9月期	1,642,000	340,300	950,500	351,100	1,789,700	723,100	142,300	924,300
10〜12月期	1,641,100	339,900	949,800	351,400	1,791,000	724,700	141,000	925,300
2020年　　1〜 3月期	1,640,900	341,000	949,200	350,700	1,809,200	740,700	141,500	927,000
4〜 6月期	1,635,500	342,100	946,500	346,900	1,798,400	730,900	144,700	922,800
7〜 9月期	1,630,700	341,800	943,800	345,100	1,798,200	729,500	145,000	923,800
10〜12月期	1,619,400	338,100	942,800	338,400	1,797,800	729,300	145,700	922,700
月次								
2019年　　 1月	1,609,300	331,400	939,100	338,800	1,779,400	736,400	142,900	900,100
2月	1,615,300	337,300	939,400	338,600	1,771,800	723,900	143,200	904,700
3月	1,615,300	338,100	939,400	337,700	1,791,100	729,500	144,000	917,600
4月	1,624,300	338,700	943,100	342,500	1,795,500	727,100	143,800	924,600
5月	1,627,400	339,100	945,200	343,100	1,798,500	728,800	143,500	926,100
6月	1,630,900	338,300	947,400	345,200	1,796,900	728,800	142,800	925,200
7月	1,640,800	340,100	949,800	350,900	1,789,500	721,000	142,700	925,800
8月	1,643,400	340,600	951,100	351,800	1,789,200	723,200	142,300	923,800
9月	1,641,600	340,200	950,700	350,700	1,790,200	725,300	141,800	923,200
10月	1,645,200	341,700	950,700	352,800	1,790,600	723,300	141,900	925,500
11月	1,640,700	339,900	949,800	351,000	1,791,700	725,200	140,700	925,900
12月	1,637,500	338,200	948,900	350,500	1,790,600	725,600	140,600	924,400
2020年　　 1月	1,642,700	340,100	950,500	352,100	1,808,300	738,200	141,600	928,600
2月	1,640,900	340,900	948,100	351,900	1,812,500	741,200	141,400	929,800
3月	1,639,000	341,900	949,000	348,100	1,806,700	742,800	141,400	922,600
4月	1,635,900	342,200	947,600	346,200	1,795,100	728,000	143,600	923,500
5月	1,635,500	342,000	945,900	347,600	1,796,400	731,800	145,400	919,300
6月	1,635,100	342,100	946,000	347,000	1,803,500	733,000	145,100	925,500
7月	1,635,000	342,900	945,500	346,500	1,798,000	730,800	144,800	922,400
8月	1,632,000	341,700	942,000	348,300	1,796,800	728,800	145,200	922,900
9月	1,625,000	340,700	943,800	340,500	1,799,800	728,900	144,900	926,000
10月	1,621,000	339,200	943,000	338,900	1,799,800	728,300	145,800	925,700
11月	1,617,900	338,000	941,800	338,000	1,796,800	729,100	145,500	922,200
12月	1,619,300	337,100	943,800	338,400	1,796,700	730,500	145,900	920,400
前年（同期・同月）比（％）								
年平均								
2014年	1.2	1.2	0.5	2.9	1.2	1.2	6.3	0.3
2015年	0.4	−0.7	0.2	2.1	1.4	0.7	3.1	1.6
2016年	0.4	−1.2	0.2	2.7	2.2	3.6	1.5	1.3
2017年	0.2	0.3	0.3	−0.1	2.2	0.8	2.9	3.2
2018年	0.2	−0.4	0.4	0.1	0.3	0.9	1.8	−0.4
2019年	2.0	2.6	1.1	4.0	0.3	−1.4	−1.8	2.0
2020年	0.0	0.6	−0.1	−0.2	0.6	0.8	1.2	0.4
四半期平均								
2020年　　1〜 3月期	1.7	1.6	1.1	3.7	1.6	1.5	−1.3	2.1
4〜 6月期	0.5	1.0	0.1	1.0	0.1	0.4	0.9	−0.3
7〜 9月期	−0.7	0.4	−0.7	−1.7	0.5	0.9	1.9	−0.1
10〜12月期	−1.3	−0.5	−0.7	−3.7	0.4	0.6	3.3	−0.3
月次								
2020年　　 1月	2.1	2.6	1.2	3.9	1.6	0.2	−0.9	3.2
2月	1.6	1.1	0.9	3.9	2.3	2.4	−1.3	2.8
3月	1.5	1.1	1.0	3.1	0.9	1.8	−1.8	0.5
4月	0.7	1.0	0.5	1.1	0.0	0.1	−0.1	−0.1
5月	0.5	0.9	0.1	1.3	−0.1	0.4	1.3	−0.7
6月	0.3	1.1	−0.1	0.5	0.4	0.6	1.6	0.0
7月	−0.4	0.8	−0.5	−1.3	0.5	1.4	1.5	−0.4
8月	−0.7	0.3	−1.0	−1.0	0.4	0.8	2.0	−0.1
9月	−1.0	0.1	−0.7	−2.9	0.5	0.5	2.2	0.3
10月	−1.5	−0.7	−0.8	−3.9	0.5	0.7	2.7	0.0
11月	−1.4	−0.6	−0.8	−3.7	0.3	0.5	3.4	−0.4
12月	−1.1	−0.3	−0.5	−3.5	0.3	0.7	3.8	−0.4

※　2018年以前の実数は，2019年1月の標本交替により生じた変動を調整した値である。

1)「学術・開発研究機関」を除く。

2)「純粋持株会社」を除く。

3)「家事サービス業」を除く。

（中分類）別事業従事者数（続き）
by Industry (Medium Groups) of Establishment and Enterprise, etc. - Continued

産業（K～N）

（単位 人，％ Unit person, %）

M 宿泊業,飲食サービス業 Accommodations, eating and drinking services	75 宿泊業 Accommodations	76 飲食店 Eating and drinking places	77 持ち帰り・配達飲食サービス業 Food take out and delivery services	N 生活関連サービス業,娯楽業 Living-related and personal services and amusement services	78 洗濯・理容・美容・浴場業 Laundry, beauty and bath services	79 その他の生活関連サービス業 3) Miscellaneous living-related and personal services 3)	80 娯楽業 Services for amusement and hobbies	Year and month
								Actual figures (Person) *
								Annual average
5, 551, 700	659, 600	4, 368, 100	531, 400	2, 711, 400	1, 265, 600	463, 500	982, 300	2013
5, 556, 700	673, 700	4, 355, 300	532, 400	2, 700, 800	1, 252, 400	473, 200	975, 300	2014
5, 601, 600	699, 000	4, 370, 800	533, 600	2, 653, 400	1, 223, 900	462, 100	967, 400	2015
5, 538, 600	700, 500	4, 313, 500	525, 100	2, 593, 300	1, 204, 400	451, 300	937, 900	2016
5, 596, 700	709, 000	4, 363, 100	524, 600	2, 573, 700	1, 173, 500	450, 500	949, 200	2017
5, 579, 100	707, 800	4, 350, 400	520, 900	2, 562, 000	1, 161, 400	449, 300	950, 800	2018
5, 521, 100	715, 700	4, 297, 400	508, 100	2, 545, 500	1, 160, 500	449, 500	935, 500	2019
5, 202, 400	658, 200	4, 025, 200	519, 000	2, 483, 500	1, 162, 700	429, 300	891, 600	2020
								Quarter average
5, 531, 900	706, 500	4, 309, 700	515, 600	2, 525, 500	1, 151, 900	449, 400	924, 200	Jan. - Mar. 2019
5, 487, 900	719, 200	4, 258, 800	510, 000	2, 546, 000	1, 156, 300	452, 500	937, 200	Apr. - Jun.
5, 517, 700	723, 600	4, 293, 200	500, 800	2, 558, 300	1, 163, 900	449, 400	945, 000	Jul. - Sep.
5, 546, 800	713, 300	4, 328, 000	505, 500	2, 552, 300	1, 169, 900	446, 900	935, 500	Oct. - Dec.
5, 491, 100	711, 500	4, 268, 700	510, 900	2, 544, 600	1, 183, 200	443, 600	917, 700	Jan. - Mar. 2020
5, 050, 500	639, 400	3, 892, 000	519, 100	2, 485, 200	1, 169, 000	428, 500	887, 600	Apr. - Jun.
5, 108, 800	638, 600	3, 945, 800	524, 500	2, 462, 800	1, 153, 600	423, 600	885, 700	Jul. - Sep.
5, 159, 400	643, 400	3, 994, 400	521, 500	2, 441, 500	1, 144, 800	421, 500	875, 300	Oct. - Dec.
								Monthly
5, 583, 800	716, 500	4, 343, 100	524, 100	2, 528, 100	1, 159, 200	445, 700	923, 200	Jan. 2019
5, 522, 100	705, 000	4, 301, 700	515, 400	2, 521, 200	1, 147, 700	451, 100	922, 400	Feb.
5, 489, 800	698, 000	4, 284, 300	507, 500	2, 527, 100	1, 148, 900	451, 200	927, 000	Mar.
5, 467, 300	720, 200	4, 234, 800	512, 300	2, 541, 200	1, 154, 100	453, 100	934, 000	Apr.
5, 493, 600	724, 100	4, 259, 800	509, 800	2, 553, 600	1, 160, 000	453, 300	940, 300	May
5, 502, 900	713, 300	4, 281, 700	507, 900	2, 543, 200	1, 154, 800	451, 100	937, 200	Jun.
5, 525, 400	725, 400	4, 297, 700	502, 300	2, 548, 100	1, 153, 600	450, 600	943, 900	Jul.
5, 542, 700	728, 700	4, 313, 500	500, 500	2, 566, 600	1, 169, 400	448, 900	948, 400	Aug.
5, 484, 900	716, 900	4, 268, 400	499, 600	2, 560, 100	1, 168, 700	448, 700	942, 700	Sep.
5, 510, 000	708, 400	4, 297, 100	504, 500	2, 551, 700	1, 166, 000	446, 700	939, 000	Oct.
5, 537, 900	710, 000	4, 325, 800	502, 100	2, 556, 700	1, 170, 300	447, 300	939, 000	Nov.
5, 592, 500	721, 500	4, 361, 000	510, 000	2, 548, 600	1, 173, 400	446, 700	928, 500	Dec.
5, 577, 800	731, 800	4, 334, 800	511, 200	2, 540, 700	1, 182, 400	445, 100	913, 200	Jan. 2020
5, 500, 100	712, 200	4, 275, 700	512, 200	2, 553, 600	1, 185, 000	446, 900	921, 700	Feb.
5, 395, 500	690, 500	4, 195, 800	509, 200	2, 539, 400	1, 182, 300	438, 900	918, 200	Mar.
5, 169, 500	665, 100	3, 991, 500	512, 900	2, 517, 100	1, 175, 700	436, 200	905, 200	Apr.
4, 965, 500	629, 100	3, 814, 700	521, 700	2, 477, 300	1, 172, 800	425, 800	878, 800	May
5, 016, 500	624, 000	3, 869, 700	522, 800	2, 461, 000	1, 158, 600	423, 600	878, 800	Jun.
5, 090, 700	640, 700	3, 926, 200	523, 700	2, 466, 500	1, 157, 400	424, 900	884, 100	Jul.
5, 121, 800	640, 700	3, 955, 400	525, 700	2, 468, 800	1, 154, 900	424, 900	889, 000	Aug.
5, 113, 900	634, 300	3, 955, 700	523, 900	2, 453, 200	1, 148, 400	420, 900	883, 900	Sep.
5, 148, 900	641, 400	3, 984, 900	522, 600	2, 449, 000	1, 146, 200	422, 700	880, 100	Oct.
5, 164, 300	644, 700	3, 997, 100	522, 500	2, 445, 400	1, 145, 000	422, 700	877, 700	Nov.
5, 164, 800	644, 200	4, 001, 100	519, 500	2, 430, 200	1, 143, 200	419, 100	867, 900	Dec.
								Change over the year (%)
								Annual average
0. 1	2. 1	-0. 3	0. 2	-0. 4	-1. 0	2. 1	-0. 7	2014
0. 8	3. 8	0. 4	0. 2	-1. 8	-2. 3	-2. 3	-0. 8	2015
-1. 1	0. 2	-1. 3	-1. 6	-2. 3	-1. 6	-2. 3	-3. 1	2016
1. 0	1. 2	1. 1	-0. 1	-0. 8	-2. 6	-0. 2	1. 2	2017
-0. 3	-0. 2	-0. 3	-0. 7	-0. 5	-1. 0	-0. 3	0. 2	2018
-1. 0	1. 1	-1. 2	-2. 5	-0. 6	-0. 1	0. 0	-1. 6	2019
-5. 8	-8. 0	-6. 3	2. 2	-2. 4	0. 2	-4. 5	-4. 7	2020
								Quarter average
-0. 7	0. 7	-1. 0	-0. 9	0. 8	2. 7	-1. 3	-0. 7	Jan. - Mar. 2020
-8. 0	-11. 1	-8. 6	1. 8	-2. 4	1. 1	-5. 3	-5. 3	Apr. - Jun.
-7. 4	-11. 7	-8. 1	4. 7	-3. 7	-0. 9	-5. 7	-6. 3	Jul. - Sep.
-7. 0	-9. 8	-7. 7	3. 2	-4. 3	-2. 1	-5. 7	-6. 4	Oct. - Dec.
								Monthly
-0. 1	2. 1	-0. 2	-2. 5	0. 5	2. 0	-0. 1	-1. 1	Jan. 2020
-0. 4	1. 0	-0. 6	-0. 6	1. 3	3. 2	-0. 9	-0. 1	Feb.
-1. 7	-1. 1	-2. 1	0. 3	0. 5	2. 9	-2. 7	-0. 9	Mar.
-5. 4	-7. 7	-5. 7	0. 1	-0. 9	1. 9	-3. 7	-3. 1	Apr.
-9. 6	-13. 1	-10. 4	2. 3	-3. 0	1. 1	-6. 1	-6. 5	May
-8. 8	-12. 5	-9. 6	2. 9	-3. 2	0. 3	-6. 1	-6. 2	Jun.
-7. 9	-11. 7	-8. 6	4. 3	-3. 2	0. 3	-5. 7	-6. 3	Jul.
-7. 6	-12. 1	-8. 3	5. 0	-3. 8	-1. 2	-5. 3	-6. 3	Aug.
-6. 8	-11. 5	-7. 3	4. 9	-4. 2	-1. 7	-6. 2	-6. 2	Sep.
-6. 6	-9. 5	-7. 3	3. 6	-4. 0	-1. 7	-5. 4	-6. 3	Oct.
-6. 7	-9. 2	-7. 6	4. 1	-4. 4	-2. 2	-5. 5	-6. 5	Nov.
-7. 6	-10. 7	-8. 3	1. 9	-4. 6	-2. 6	-6. 2	-6. 5	Dec.

* Because the sample establishments were replaced in January 2019, the actual figures of 2018 and earlier are the adjustment figures.

1) Excluding "scientific and development research institutes"
2) Excluding "pure holding companies"
3) Excluding "domestic services"

年　　　月	O 教育, 学習支援業 4) Education, learning support 4)	82 その他の 教育, 学習 支援業 Miscellaneous education, learning support	82a うち社会教育, 職業・教育 支援施設 of which social education and vocational and educational support facilities	82b うち学習塾, 教養・技能 教授業 of which supplementary tutorial schools and instruction service for arts, culture and technicals	P 医療, 福祉 Medical, health care and welfare	83 医療業 Medical and other health services	84 保健衛生 5) Public health and hygiene 5)	85 社会保険・ 社会福祉・ 介護事業 6) Social insurance and social welfare 6)
実数（人）※								
年平均								
2013年	924,000	924,000	209,300	631,100	7,526,300	3,943,900	104,500	3,477,000
2014年	937,200	937,200	213,600	638,400	7,652,500	4,000,900	110,700	3,540,400
2015年	942,200	942,200	223,300	641,000	7,747,900	4,055,300	112,300	3,578,600
2016年	950,300	950,300	227,100	648,200	7,857,800	4,107,300	114,500	3,635,500
2017年	960,700	960,700	227,700	652,900	8,000,500	4,156,400	118,300	3,727,300
2018年	987,400	987,400	230,800	676,500	8,129,700	4,195,500	123,400	3,811,700
2019年	1,039,500	1,039,500	238,600	707,600	8,208,700	4,215,100	121,900	3,871,700
2020年	1,044,500	1,044,500	241,600	705,700	8,227,100	4,224,800	119,500	3,882,800
四半期平均								
2019年　1～ 3月期	1,002,100	1,002,100	228,900	688,000	8,156,400	4,183,700	118,500	3,854,200
4～ 6月期	1,042,500	1,042,500	242,400	705,100	8,215,800	4,235,900	121,300	3,858,500
7～ 9月期	1,058,300	1,058,300	243,600	718,300	8,221,600	4,223,800	124,200	3,873,600
10～12月期	1,055,300	1,055,300	239,300	718,900	8,240,900	4,217,000	123,500	3,900,400
2020年　1～ 3月期	1,047,400	1,047,400	238,400	710,700	8,214,800	4,207,300	118,900	3,888,600
4～ 6月期	1,028,600	1,028,600	243,400	687,900	8,223,100	4,233,400	117,200	3,872,500
7～ 9月期	1,050,400	1,050,400	243,800	709,800	8,231,000	4,233,600	120,000	3,877,500
10～12月期	1,051,500	1,051,500	240,600	714,500	8,239,300	4,224,800	121,800	3,892,700
月次								
2019年　　1月	994,900	994,900	228,300	685,600	8,165,800	4,184,200	118,900	3,862,700
2月	994,500	994,500	228,700	684,400	8,150,800	4,187,600	117,700	3,845,500
3月	1,016,900	1,016,900	229,800	693,800	8,152,600	4,179,400	118,800	3,854,500
4月	1,034,900	1,034,900	237,400	702,400	8,219,900	4,239,200	119,800	3,860,800
5月	1,050,800	1,050,800	245,100	711,100	8,215,000	4,234,800	121,300	3,858,900
6月	1,041,800	1,041,800	244,800	701,700	8,212,500	4,233,800	122,900	3,855,900
7月	1,051,900	1,051,900	244,900	711,300	8,222,300	4,232,400	124,000	3,865,900
8月	1,067,400	1,067,400	244,100	726,800	8,223,100	4,220,800	124,000	3,878,200
9月	1,055,500	1,055,500	241,900	717,000	8,219,300	4,218,100	124,400	3,876,800
10月	1,055,300	1,055,300	239,500	718,200	8,242,900	4,219,500	124,000	3,899,500
11月	1,055,200	1,055,200	239,800	718,600	8,250,400	4,214,000	123,700	3,912,600
12月	1,055,400	1,055,400	238,700	720,100	8,229,400	4,217,400	122,900	3,889,100
2020年　　1月	1,051,200	1,051,200	238,600	715,500	8,221,300	4,211,400	119,700	3,890,300
2月	1,049,500	1,049,500	238,800	712,400	8,216,000	4,206,700	118,900	3,890,400
3月	1,041,600	1,041,600	237,900	704,100	8,207,000	4,203,800	118,000	3,885,300
4月	1,028,100	1,028,100	242,700	686,900	8,237,300	4,242,400	117,200	3,877,700
5月	1,019,500	1,019,500	243,400	679,400	8,210,600	4,223,100	116,300	3,871,200
6月	1,038,300	1,038,300	244,200	697,400	8,221,500	4,234,700	118,100	3,868,800
7月	1,046,700	1,046,700	243,700	706,000	8,229,600	4,236,700	119,500	3,873,400
8月	1,052,900	1,052,900	244,800	711,200	8,233,000	4,236,000	119,900	3,877,100
9月	1,051,700	1,051,700	242,800	712,300	8,230,500	4,228,100	120,500	3,881,900
10月	1,050,500	1,050,500	241,000	713,500	8,235,300	4,226,500	121,500	3,887,300
11月	1,055,500	1,055,500	241,200	718,000	8,246,800	4,227,700	122,000	3,897,100
12月	1,048,500	1,048,500	239,700	712,100	8,235,700	4,220,200	121,900	3,893,600
前年（同期・同月）比（%）								
年平均								
2014年	1.4	1.4	2.0	1.2	1.7	1.4	5.9	1.8
2015年	0.5	0.5	4.6	0.4	1.2	1.4	1.5	1.1
2016年	0.9	0.9	1.7	1.1	1.4	1.3	1.9	1.6
2017年	1.1	1.1	0.3	0.7	1.8	1.2	3.4	2.5
2018年	2.8	2.8	1.3	3.6	1.6	0.9	4.3	2.3
2019年	5.3	5.3	3.4	4.6	1.0	0.5	-1.2	1.6
2020年	0.5	0.5	1.3	-0.3	0.2	0.2	-2.0	0.3
四半期平均								
2020年　1～ 3月期	4.5	4.5	4.2	3.3	0.7	0.6	0.3	0.9
4～ 6月期	-1.3	-1.3	0.4	-2.4	0.1	-0.1	-3.4	0.4
7～ 9月期	-0.7	-0.7	0.1	-1.2	0.1	0.2	-3.4	0.1
10～12月期	-0.4	-0.4	0.5	-0.6	0.0	0.2	-1.4	-0.2
月次								
2020年　　1月	5.7	5.7	4.5	4.4	0.7	0.7	0.7	0.7
2月	5.5	5.5	4.4	4.1	0.8	0.5	1.0	1.2
3月	2.4	2.4	3.5	1.5	0.7	0.6	-0.7	0.8
4月	-0.7	-0.7	2.2	-2.2	0.2	0.1	-2.2	0.4
5月	-3.0	-3.0	-0.7	-4.5	-0.1	-0.3	-4.1	0.3
6月	-0.3	-0.3	-0.2	-0.6	0.1	0.0	-3.9	0.3
7月	-0.5	-0.5	-0.5	-0.7	0.1	0.1	-3.6	0.2
8月	-1.4	-1.4	0.3	-2.1	0.1	0.4	-3.3	0.0
9月	-0.4	-0.4	0.4	-0.7	0.1	0.2	-3.1	0.1
10月	-0.5	-0.5	0.6	-0.7	-0.1	-0.1	-2.0	-0.3
11月	0.0	0.0	0.6	-0.1	0.0	0.3	-1.4	-0.4
12月	-0.7	-0.7	0.4	-1.1	0.1	0.1	-0.8	0.1

※　2018年以前の実数は，2019年1月の標本交替により生じた変動を調整した値である。

4)　「学校教育」を除く。
5)　「保健所」を除く。
6)　「社会保険事業団体」及び「福祉事務所」を除く。
7)　「政治・経済・文化団体」，「宗教」及び「外国公務」を除く。

（中分類）別事業従事者数（続き）
by Industry (Medium Groups) of Establishment and Enterprise, etc. - Continued

産業（O〜R），サービス産業以外

（単位 人，%　Unit person, %)

R サービス業 (他に分類されないもの) 7) Services, n.e.c. 7)	88 廃棄物処理業 Waste disposal business	89 自動車整備業 Automobile maintenance services	90 機械等修理業 (別掲を除く) Machine, etc. repair services, except otherwise classified	91 職業紹介・労働者派遣業 Employment and worker dispatching services	92 その他の事業サービス業 Miscellaneous business services	95 その他のサービス業 Miscellaneous services	サービス産業以外 Others	Year and month
								Actual figures (Person) *
								Annual average
3,769,500	334,500	288,100	264,500	461,300	2,376,000	50,600	1,900	2013
3,767,200	338,700	292,600	255,200	446,200	2,384,300	51,400	2,300	2014
3,758,900	339,400	284,400	255,000	431,700	2,394,300	52,000	2,400	2015
3,788,300	339,300	282,300	253,900	439,200	2,419,100	53,400	2,900	2016
3,810,800	343,000	279,200	265,100	450,900	2,418,300	55,300	3,400	2017
3,823,500	343,600	277,400	259,700	449,100	2,438,500	55,100	6,000	2018
3,829,100	338,200	279,300	263,400	443,700	2,448,900	55,600	9,000	2019
3,757,200	337,800	277,100	265,900	408,800	2,411,600	56,000	15,900	2020
								Quarter average
3,812,100	343,800	277,700	260,200	446,800	2,427,800	55,800	6,300	Jan. - Mar. 2019
3,836,900	339,000	280,400	263,800	443,200	2,454,900	55,600	6,400	Apr. - Jun.
3,831,000	335,300	279,400	264,400	442,100	2,454,300	55,400	9,400	Jul. - Sep.
3,836,300	334,500	279,900	265,000	442,600	2,458,600	55,800	14,100	Oct. - Dec.
3,828,300	335,300	278,200	264,800	429,800	2,463,500	56,700	14,200	Jan. - Mar. 2020
3,723,100	337,000	276,100	265,500	409,400	2,379,400	55,700	15,800	Apr. - Jun.
3,728,400	339,600	276,700	266,100	399,500	2,390,800	55,700	16,200	Jul. - Sep.
3,749,000	339,300	277,200	267,200	396,500	2,412,800	56,000	17,200	Oct. - Dec.
								Monthly
3,813,500	345,200	274,700	259,500	450,100	2,428,200	55,800	6,400	Jan. 2019
3,792,600	343,000	278,800	257,400	445,400	2,411,900	56,100	6,300	Feb.
3,830,300	343,100	279,500	263,900	444,900	2,443,400	55,400	6,200	Mar.
3,829,300	339,200	278,800	263,600	436,900	2,455,200	55,700	6,300	Apr.
3,843,900	339,400	281,700	264,100	444,200	2,458,800	55,700	6,400	May
3,837,600	338,400	280,700	263,800	448,600	2,450,500	55,600	6,300	Jun.
3,866,700	335,600	279,900	264,300	442,000	2,489,600	55,400	6,900	Jul.
3,813,000	335,900	279,000	264,300	439,600	2,438,700	55,400	6,900	Aug.
3,813,300	334,600	279,300	264,600	444,800	2,434,600	55,600	14,300	Sep.
3,824,400	333,300	279,300	264,100	446,400	2,445,300	55,700	14,100	Oct.
3,840,200	335,300	279,800	264,800	440,600	2,463,700	55,800	14,100	Nov.
3,844,300	334,800	280,400	266,000	440,700	2,466,700	55,700	14,100	Dec.
3,851,400	335,200	278,800	264,300	440,900	2,475,400	56,800	14,200	Jan. 2020
3,845,400	335,700	279,000	264,400	433,000	2,476,600	56,800	14,200	Feb.
3,788,000	334,900	276,700	265,800	415,500	2,438,400	56,600	14,400	Mar.
3,741,700	335,200	275,300	265,300	415,000	2,395,400	55,600	15,700	Apr.
3,704,300	337,600	275,700	265,000	407,100	2,363,200	55,700	15,800	May
3,723,200	338,300	277,300	266,100	406,100	2,379,600	55,800	15,800	Jun.
3,724,700	339,000	276,500	265,800	402,100	2,385,500	55,700	15,900	Jul.
3,732,300	339,500	277,000	265,800	398,500	2,395,800	55,700	16,000	Aug.
3,728,100	340,100	276,600	266,500	397,900	2,391,200	55,700	16,800	Sep.
3,746,800	340,000	277,200	267,400	396,700	2,409,400	56,000	16,700	Oct.
3,749,800	339,400	277,700	267,400	397,000	2,412,200	56,100	17,500	Nov.
3,750,400	338,600	276,700	266,700	395,800	2,416,700	55,900	17,400	Dec.
								Change over the year (%)
								Annual average
-0.1	1.3	1.6	-3.5	-3.3	0.4	1.6	21.9	2014
-0.2	0.2	-2.8	-0.1	-3.3	0.4	1.1	3.3	2015
0.8	0.0	-0.7	-0.4	1.7	1.0	2.8	20.8	2016
0.6	1.1	-1.1	4.4	2.7	0.0	3.5	18.5	2017
0.3	0.2	-0.7	-2.0	-0.4	0.8	-0.4	75.0	2018
0.1	-1.6	0.7	1.4	-1.2	0.4	0.9	50.0	2019
-1.9	-0.1	-0.8	0.9	-7.9	-1.5	0.7	76.7	2020
								Quarter average
0.4	-2.5	0.2	1.8	-3.8	1.5	1.6	125.4	Jan. - Mar. 2020
-3.0	-0.6	-1.5	0.6	-7.6	-3.1	0.2	146.9	Apr. - Jun.
-2.7	1.3	-1.0	0.6	-9.6	-2.6	0.5	72.3	Jul. - Sep.
-2.3	1.4	-1.0	0.8	-10.4	-1.9	0.4	22.0	Oct. - Dec.
								Monthly
1.0	-2.9	1.5	1.8	-2.0	1.9	1.8	121.9	Jan. 2020
1.4	-2.1	0.1	2.7	-2.8	2.7	1.2	125.4	Feb.
-1.1	-2.4	-1.0	0.7	-6.6	-0.2	2.2	132.3	Mar.
-2.3	-1.2	-1.3	0.6	-5.0	-2.4	-0.2	149.2	Apr.
-3.6	-0.5	-2.1	0.3	-8.4	-3.9	0.0	146.9	May
-3.0	0.0	-1.2	0.9	-9.5	-2.9	0.4	150.8	Jun.
-3.7	1.0	-1.2	0.6	-9.0	-4.2	0.5	130.4	Jul.
-2.1	1.1	-0.7	0.6	-9.3	-1.8	0.5	131.9	Aug.
-2.2	1.6	-1.0	0.7	-10.5	-1.8	0.2	17.5	Sep.
-2.0	2.0	-0.8	1.2	-11.1	-1.5	0.5	18.4	Oct.
-2.4	1.2	-0.8	1.0	-9.9	-2.1	0.5	24.1	Nov.
-2.4	1.1	-1.3	0.3	-10.2	-2.0	0.4	23.4	Dec.

* Because the sample establishments were replaced in January 2019, the actual figures of 2018 and earlier are the adjustment figures.

4) Excluding "school education"

5) Excluding "public health centers"

6) Excluding "social insurance organizations" and "welfare offices"

7) Excluding "political, business and cultural organizations", "religion" and "foreign governments and international agencies in Japan"

第2表　事業所・企業等の産業（中分類）別売上高・事業所・企業等の産業（中分類），従業上の地位別事業従事者数

Table 2 Sales by Industry (Medium Groups) of Establishment and Enterprise, etc. and the Number of Persons Working at the Location of Establishment by Industry (Medium Groups) of Establishment and Enterprise, etc. and Status in Employment

2020年平均　Annual Average (2020)　　　　　　　　　　　　　　　　　　　（単位　百万円，人　　Unit 1 mil.yen, person）

事業所・企業等の産業(中分類) Industry of Establishment and Enterprise, etc. (Medium Groups)	売上高 (百万円) Sales (1 mil.yen)	事業従事者数（人） Number of persons working at the location of establishment (Person) 総数 Total	うち 常用雇用者 of which regular employees	正社員・正職員 full-time employees	正社員・正職員以外 other than full-time employees	うち 臨時雇用者 of which non-regular workers	うち 別経営の事業所・企業等からの出向・派遣 of which dispatched or subcontracted employees from separately operated establishments
合　　計	29,663,992	29,727,800	24,968,300	13,986,700	10,981,600	795,200	810,700
サービス産業計	29,611,554	29,711,900	24,953,200	13,974,200	10,979,000	795,100	810,100
G 情報通信業	5,126,152	1,973,100	1,678,800	1,445,000	233,800	10,300	195,000
37 通信業	1,698,505	196,300	162,600	133,400	29,200	400	31,000
38 放送業	341,411	82,400	61,100	50,400	10,700	600	17,400
39 情報サービス業	2,287,387	1,317,000	1,142,700	1,004,200	138,500	4,800	118,100
40 インターネット附随サービス業	273,383	124,200	102,400	86,400	16,000	1,200	13,300
41 映像・音声・文字情報制作業	525,466	253,100	210,000	170,700	39,300	3,300	15,100
H 運輸業，郵便業	4,998,640	3,591,600	3,088,400	2,372,200	716,200	230,200	111,600
42 鉄道業	503,749	260,300	250,600	228,300	22,200	2,700	5,600
43 道路旅客運送業	184,150	513,500	466,300	353,400	112,900	4,800	7,400
44 道路貨物運送業	2,172,933	2,012,900	1,680,900	1,291,700	389,200	184,000	53,700
45 水運業	457,655	59,400	50,500	43,200	7,300	300	2,400
47 倉庫業	311,638	183,600	161,200	90,800	70,400	3,100	11,300
48 運輸に附帯するサービス業	1,211,723	503,700	424,200	315,800	108,400	35,300	28,400
4* 航空運輸業，郵便業（信書便事業を含む）	156,793	58,200	54,700	48,900	5,800	100	3,000
K 不動産業，物品賃貸業	4,200,143	1,631,600	1,042,100	675,000	367,100	16,000	53,100
68 不動産取引業	1,015,190	340,700	233,800	184,600	49,200	3,500	13,400
69 不動産賃貸業・管理業	1,952,886	945,600	504,000	291,200	212,800	7,300	29,000
70 物品賃貸業	1,232,067	345,300	304,400	199,200	105,100	5,200	10,700
L 学術研究，専門・技術サービス業 1)	2,706,405	1,800,900	1,404,500	1,113,400	291,100	21,600	83,600
72 専門サービス業（他に分類されないもの）2)	833,518	732,600	547,900	402,300	145,600	6,700	26,700
73 広告業	701,794	144,200	121,500	101,700	19,900	3,500	7,500
74 技術サービス業（他に分類されないもの）	1,171,092	924,100	735,000	609,400	125,600	11,300	49,400
M 宿泊業，飲食サービス業	1,791,497	5,202,400	4,251,900	1,012,500	3,239,400	166,500	41,600
75 宿泊業	343,141	658,200	547,900	253,900	294,000	33,400	11,800
76 飲食店	1,241,073	4,025,200	3,231,200	640,300	2,590,900	119,900	20,100
77 持ち帰り・配達飲食サービス業	207,283	519,000	472,800	118,300	354,500	13,200	9,800
N 生活関連サービス業，娯楽業	2,762,424	2,483,500	1,863,100	819,400	1,043,700	73,700	60,200
78 洗濯・理容・美容・浴場業	399,091	1,162,700	747,900	365,400	382,500	16,100	15,600
79 その他の生活関連サービス業 3)	426,297	429,300	339,100	188,100	151,000	19,400	13,800
80 娯楽業	1,937,035	891,600	776,100	265,900	510,200	38,200	30,800
O 教育，学習支援業 4)	272,773	1,044,500	855,900	290,700	565,100	38,900	10,300
82 その他の教育，学習支援業	272,773	1,044,500	855,900	290,700	565,100	38,900	10,300
82a うち社会教育，職業・教育支援施設	38,982	241,600	231,900	118,200	113,700	2,400	2,800
82b うち学習塾，教養・技能教授業	177,585	705,700	537,000	123,200	413,800	35,500	5,200
P 医療，福祉	4,521,548	8,227,100	7,515,200	4,573,500	2,941,700	127,200	117,700
83 医療業	3,227,737	4,224,800	3,720,900	2,628,500	1,092,400	63,000	66,300
84 保健衛生 5)	46,116	119,500	105,100	61,500	43,600	8,700	3,500
85 社会保険・社会福祉・介護事業 6)	1,247,695	3,882,800	3,689,300	1,883,500	1,805,700	55,400	47,900
R サービス業（他に分類されないもの）7)	3,231,972	3,757,200	3,253,300	1,672,400	1,580,900	110,700	137,100
88 廃棄物処理業	385,580	337,800	288,200	230,200	57,900	4,500	8,300
89 自動車整備業	242,645	277,100	187,500	154,000	33,500	3,000	10,400
90 機械等修理業（別掲を除く）	398,058	265,900	217,200	185,400	31,700	2,300	15,000
91 職業紹介・労働者派遣業	604,829	408,800	365,800	200,700	165,100	13,300	7,300
92 その他の事業サービス業	1,574,289	2,411,600	2,142,700	877,000	1,265,700	87,000	94,800
95 その他のサービス業	26,572	56,000	52,000	25,100	26,900	600	1,400
その他	52,438	15,900	15,100	12,500	2,600	100	500

1)「学術・開発研究機関」を除く。
2)「純粋持株会社」を除く。
3)「家事サービス業」を除く。
4)「学校教育」を除く。
5)「保健所」を除く。
6)「社会保険事業団体」及び「福祉事務所」を除く。
7)「政治・経済・文化団体」，「宗教」及び「外国公務」を除く。

1) Excluding "scientific and development research institutes"
2) Excluding "pure holding companies"
3) Excluding "domestic services"
4) Excluding "school education"
5) Excluding "public health centers"
6) Excluding "social insurance organizations" and "welfare offices"
7) Excluding "political, business and cultural organizations", "religion" and "foreign governments and international agencies in Japan"

第3表　事業活動の産業（中分類），事業所・企業等の事業従事者規模別売上高

Table 3 Sales by Industry (Medium Groups) of Business Activity and Size of Persons Working at the Location of Establishment and Enterprise, etc.

2020年平均　Annual Average (2020)　　　　　　　　　　　　　　　　　（単位　百万円　　Unit 1 mil.yen）

事業活動の産業（中分類） Industry of Business Activity (Medium Groups)	総数 Total	10人未満 Under 10 persons	10〜29人 10〜29 persons	30〜99人 30〜99 persons	100〜299人 100〜299 persons	300人以上 300 persons or more
合　　　　　　　　　　　計	29,663,992	3,921,259	4,590,150	4,487,391	3,456,351	13,208,840
サ　ー　ビ　ス　産　業　計	28,736,724	3,919,380	4,584,977	4,457,576	3,386,595	12,388,196
G　情　報　通　信　業	4,912,550	168,030	258,466	422,210	478,985	3,584,859
37　通　　　　　信　　　　　業	1,611,941	13,670	26,987	21,120	48,720	1,501,445
38　放　　　　　送　　　　　業	290,408	3,651	5,135	23,327	60,081	198,215
39　情　報　サ　ー　ビ　ス　業	2,208,968	90,671	148,454	256,738	237,950	1,475,155
40　インターネット附随サービス業	312,999	14,336	23,637	31,995	49,976	193,055
41　映像・音声・文字情報制作業	488,233	45,702	54,254	89,030	82,258	216,989
H　運　輸　業　，　郵　便　業	4,729,145	237,767	606,099	989,991	697,233	2,198,056
42　鉄　　　　　道　　　　　業	408,865	156	946	2,078	9,947	395,738
43　道　路　旅　客　運　送　業	186,153	7,675	23,558	38,854	47,698	68,368
44　道　路　貨　物　運　送　業	2,037,681	96,741	402,658	698,296	177,023	662,962
45　水　　　　　運　　　　　業	433,599	37,797	55,421	48,204	85,022	207,155
47　倉　　　　　庫　　　　　業	332,604	27,277	40,803	73,007	55,372	136,144
48　運輸に附帯するサービス業	1,182,312	67,809	82,206	126,975	319,441	585,882
4*　航空運輸業，郵便業 （信書便事業を含む）	147,931	311	507	2,576	2,731	141,806
K　不　動　産　業，物品賃貸業	3,978,504	963,514	500,047	458,664	414,467	1,641,813
68　不　動　産　取　引　業	1,078,459	321,715	131,392	145,829	118,043	361,479
69　不　動　産　賃　貸　業・管　理　業	1,821,461	482,988	209,714	178,206	195,239	755,313
70　物　　品　　賃　　貸　　業	1,078,585	158,810	158,941	134,628	101,184	525,021
L　学術研究，専門・技術サービス業　1)	2,651,429	481,797	342,165	334,756	316,184	1,176,527
72　専　門　サ　ー　ビ　ス　業 （他に分類されないもの）2)	795,597	220,103	102,530	74,767	140,197	258,001
73　広　　　　　告　　　　　業	683,368	65,215	56,095	57,085	58,679	446,294
74　技　術　サ　ー　ビ　ス　業 （他に分類されないもの）	1,172,464	196,479	183,541	202,905	117,308	472,232
M　宿　泊　業，飲食サービス業	1,737,923	494,018	512,481	249,596	73,413	408,416
75　宿　　　　　泊　　　　　業	281,942	34,164	64,031	66,643	45,400	71,704
76　飲　　　　　食　　　　　店	1,245,219	412,404	382,377	155,143	18,267	277,028
77　持ち帰り・配達飲食サービス業	210,762	47,450	66,073	27,809	9,747	59,683
N　生活関連サービス業，娯楽業	2,716,806	451,813	747,546	543,860	260,905	712,682
78　洗　濯・理　容・美　容・浴　場　業	396,088	223,437	76,471	54,796	18,876	22,509
79　その他の生活関連サービス業　3)	424,142	103,245	76,232	67,403	61,577	115,686
80　娯　　　　　楽　　　　　業	1,896,576	125,132	594,843	421,661	180,453	574,487
O　教　育，学　習　支　援　業　4)	281,601	80,719	60,765	59,541	18,581	61,994
82　その他の教育，学習支援業	281,601	80,719	60,765	59,541	18,581	61,994
82a　うち社会教育，職業・教育支援施設	47,000	11,402	4,762	6,949	4,352	19,534
82b　うち学習塾，教養・技能教授業	177,372	63,847	43,142	23,239	8,235	38,908
P　医　　療，福　　祉	4,523,222	535,259	823,798	834,460	735,472	1,594,233
83　医　　　　　療　　　　　業	3,238,446	441,385	461,714	302,666	538,767	1,493,914
84　保　　健　　衛　　生　5)	46,962	5,155	3,631	11,868	12,223	14,084
85　社会保険・社会福祉・介護事業　6)	1,237,814	88,719	358,452	519,926	184,482	86,235
R　サ　ー　ビ　ス　業 （他に分類されないもの）7)	3,205,542	506,463	733,610	564,498	391,353	1,009,617
88　廃　　棄　　物　　処　　理　　業	381,337	64,316	151,164	104,569	29,319	31,969
89　自　動　車　整　備　業	250,218	98,778	89,034	47,190	6,448	8,768
90　機械等修理業（別掲を除く）	356,684	76,077	75,356	33,981	43,001	128,269
91　職業紹介・労働者派遣業	579,212	85,513	127,972	93,006	49,070	223,651
92　その他の事業サービス業	1,610,852	176,005	278,687	281,174	260,361	614,626
95　そ　の　他　の　サ　ー　ビ　ス　業	27,240	5,776	11,397	4,579	3,155	2,334
そ　　　　　の　　　　　他	927,268	1,879	5,173	29,816	69,756	820,645

1)「学術・開発研究機関」を除く。
2)「純粋持株会社」を除く。
3)「家事サービス業」を除く。
4)「学校教育」を除く。
5)「保健所」を除く。
6)「社会保険事業団体」及び「福祉事務所」を除く。
7)「政治・経済・文化団体」，「宗教」及び「外国公務」を除く。

1) Excluding "scientific and development research institutes"
2) Excluding "pure holding companies"
3) Excluding "domestic services"
4) Excluding "school education"
5) Excluding "public health centers"
6) Excluding "social insurance organizations" and "welfare offices"
7) Excluding "political, business and cultural organizations", "religion" and "foreign governments and international agencies in Japan"

第4表　事業活動の産業（一部中分類），
Table 4 Sales by Industry (Including Some Medium Groups) of Business Activity

2020年平均　Annual Average (2020)

事業活動の産業 （一部中分類）	事業所・企業等の産業（一部中分類）						
	サービス産業計 Service industry	G 情報通信業 Information and communications	H 運輸業，郵便業 Transport and postal activities	K 不動産業， 物品賃貸業 Real estate and goods rental and leasing	70 うち 物品賃貸業 of which Goods rental and leasing	L 学術研究， 専門・技術 サービス業 1) Scientific research, professional and technical services 1)	M 宿泊業， 飲食サービス業 Accommodations, eating and drinking services
サービス産業計	28,727,091	4,896,718	4,860,764	3,886,386	1,078,350	2,641,619	1,757,193
G 情報通信業	4,912,211	4,815,372	1,532	3,352	1,014	61,427	256
H 運輸業，郵便業	4,729,088	520	4,719,689	2,067	755	942	1,751
K 不動産業，物品賃貸業	3,975,591	15,920	85,183	3,829,423	1,065,555	9,796	16,545
70 うち物品賃貸業	1,076,483	1,587	6,116	1,065,265	1,062,090	2,520	275
L 学術研究，専門・技術サービス業 1)	2,651,213	20,323	23,299	20,279	5,181	2,546,182	15,973
M 宿泊業，飲食サービス業	1,737,842	220	1,912	7,635	X	5,478	1,709,633
75 うち宿泊業	281,928	123	719	5,693	–	4	272,473
N 生活関連サービス業，娯楽業 2)	2,716,691	3,646	8,086	3,489	702	689	9,330
80 うち娯楽業	1,896,575	2,448	5,817	2,293	X	326	5,294
O 教育，学習支援業 3)	281,601	7,370	259	292	X	1,360	253
P 医療，福祉 4)	4,523,217	1,193	1,398	1,504	175	577	2,283
R サービス業（他に分類されないもの）5)	3,199,638	32,154	19,405	18,343	4,930	15,168	1,167

1)「学術・開発研究機関」及び「純粋持株会社」を除く。
2)「家事サービス業」を除く。
3)「学校教育」を除く。
4)「保健所」，「社会保険事業団体」及び「福祉事務所」を除く。
5)「政治・経済・文化団体」，「宗教」及び「外国公務」を除く。

事業所・企業等の産業（一部中分類）別売上高
and Industry (Including Some Medium Groups) of Establishment and Enterprise, etc.

（単位　百万円　　Unit 1 mil.yen）

75 うち 宿泊業 / of which Accommodations	N 生活関連サービス業，娯楽業 2) / Living-related and personal services and amusement services 2)	80 うち 娯楽業 / of which Services for amusement and hobbies	O 教育，学習支援業 3) / Education, learning support 3)	P 医療，福祉 4) / Medical, health care and welfare 4)	R サービス業（他に分類されないもの）5) / Services n.e.c. 5)	Industry of business activity	
317,573	2,731,719	1,912,988	270,223	4,518,484	3,163,986		Service industry
X	11,090	10,936	844	288	18,049	G	Information and communications
1,737	2,426	X	32	–	1,658	H	Transport and postal activities
15,475	8,775	7,522	449	1,577	7,923	K	Real estate and goods rental and leasing
X	468	100	–	92	161	70	Goods rental and leasing
465	1,909	1,462	853	1,154	21,239	L	Scientific research, professional and technical services 1)
287,928	10,635	5,474	126	636	1,567	M	Accommodations, eating and drinking services
271,660	1,725	868	79	555	556	75	of which Accommodations
8,700	2,689,946	1,881,469	295	194	1,016	N	Living-related and personal services and amusement services 2)
5,026	1,880,121	1,880,004	169	–	108	80	of which Services for amusement and hobbies
43	3,564	3,542	266,851	189	1,463	O	Education, learning support 3)
X	297	X	43	4,513,810	2,110	P	Medical, health care and welfare 4)
952	3,076	2,328	730	634	3,108,960	R	Services, n.e.c. 5)

1) Excluding "scientific and development research institutes" and "pure holding companies"

2) Excluding "domestic services"

3) Excluding "school education"

4) Excluding "public health centers", "social insurance organizations" and "welfare offices"

5) Excluding "political, business and cultural organizations", "religion" and "foreign governments and international agencies in Japan"

付録1　サービス産業動向調査の沿革

　我が国の経済活動におけるサービス産業（第三次産業）のウエイトはGDPベース及び従業者ベースで7割を超えており（表参照），こうした経済社会の実態を的確に捉えるためには，サービス分野の統計が的確に整備されている必要がある。

　しかしながら，サービス産業に関する統計は，個々の業種ごとにモザイク状に整備が行われ，サービス産業の全体像を明らかにするものとはなっていなかった。

　このような状況は，産業統計としての利用に支障を来しているだけでなく，我が国の経済活動に占めるサービス産業のウエイトが圧倒的に高いことを背景にGDP関連統計や産業連関表の精度上の大きな制約要因となっており，統計体系の整備の観点からもその改善が強く望まれていた。とりわけGDPの四半期別速報（QE）を作成するためのサービス産業の基礎統計については，月次ベースの統計が一部の業種のみに限られており，これをサービス産業全体に拡充することへの期待が高くなっていた。

　このような背景から，総務省統計局は，「経済財政運営と構造改革に関する基本方針2006」（平成18年7月7日閣議決定）等における政府の統計整備の方針に基づき，GDPベースで約7割を超える第三次産業のうち，これまで統計の整備が十分でなかったサービス産業を調査対象として，その活動の動向を包括的かつ適時に把握できる「サービス産業動向調査」（月次調査）を2008年7月に創設した。

　2013年からは，「公的統計の整備に関する基本的な計画」（平成21年3月13日閣議決定）において，サービス活動に係る統計の整備について一層の推進が必要とされたこと等を踏まえ，サービス産業の詳細な産業分類別及び地域別の状況を年次で把握することを目的として，毎月の調査とは別に年1回の「サービス産業動向調査」（拡大調査）を開始した。

　その後，拡大調査は，「公的統計の整備に関する基本的な計画」（平成30年3月6日閣議決定）等に基づき，経済構造統計を軸とした経済統計の体系的整備の推進を計る観点で，拡大調査を含めた既存の統計調査を統合・再編した「経済構造実態調査」の創設を踏まえ，2018年調査の実施をもって終了した。

　サービス産業動向調査の結果は，GDPの基礎資料として活用されており，今後，更なる利活用が期待される。

サービス産業動向調査に関する委員会及び政府の決定等の経緯

■「政府統計の構造改革に向けて」（平成17年6月10日内閣府経済社会統計整備推進委員会報告）
・「QEを始めとする経済指標の精度向上に資するため，サービス産業に係る動態統計が未整備の分野について，生産・雇用等の状況を月次ベースで把握できる動態統計を創設」
・「経済センサス（仮称）の実施による的確な母集団名簿の整備が進んだ後は，サービス産業の構造的な実態把握やGDP関連統計・産業連関表の精度向上に資するため，適切なサンプル調査によってサービス産業を幅広く捉えた構造統計を整備」

■「経済財政運営と構造改革に関する基本方針2006」（平成18年7月7日閣議決定）
・「サービス産業全体の生産・雇用等の状況を月次ベースで概括的に把握できる統計を2008年度に創設するなど，サービス統計の抜本的拡充を図る」

 サービス産業動向調査の創設（2008年7月）

■「公的統計の整備に関する基本的な計画」（平成21年3月13日閣議決定）
・「サービス活動に係る統計の整備は着実に進展してはいるものの，今後とも一層の推進が必要である」

■「公的統計の整備における喫緊の課題とその対応に関する基本的考え方」
（平成22年6月18日統計委員会）
・「サービス産業の売上高等を幅広く月次で調査するサービス産業動向調査が20年7月から開始され，また，周期調査として経済センサスについても，サービス産業を含む経済活動の網羅的な把握が期待されている。今後，これらの統計整備の着実な実施に加え，年次での構造把握が未整備な分野への対処など，サービス産業関連の統計整備について一層の推進が求められている」

 サービス産業動向調査の見直し（2013年1月）
・資本金1億円以上の企業等について企業単位の調査を導入し，売上高等を事業活動ごとに調査
・毎月の調査対象に約4万事業所を加えた年次調査（拡大調査）を創設し，年間売上高を都道府県別に調査

■「公的統計の整備に関する基本的な計画」（平成30年3月6日閣議決定）
・「経済センサス‐活動調査の中間年における経済構造統計について，関係府省は，関連する基幹統計調査を再編した上で，経済構造統計における母集団情報の整備・提供という従来の目的・役割に加え，新たに基準年からの構造の変化を含めた中間年の実態を把握・提供する。」

 経済構造実態調査の創設（2019年）
・サービス産業動向調査（拡大調査）は2018年調査の実施をもって終了，経済構造実態調査に統合

図　GDP（国内総生産）に占める第三次産業の構成比の推移

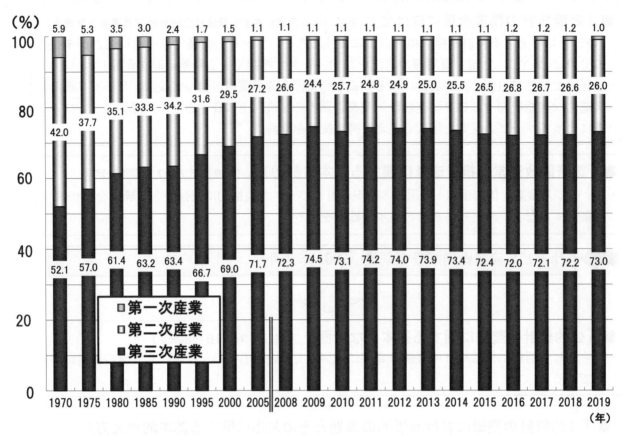

出典：「2019年度国民経済計算年次推計」（内閣府経済社会総合研究所）
　　　1975（昭和50）年以前の結果は68ＳＮＡ，1980（昭和55）年以降1990（平成２）年以前の結果は93ＳＮＡ，
　　　1995（平成７）年以降の結果は08ＳＮＡに基づく。

表　サービス産業動向調査の調査対象産業の構成比（％）

	全産業	第三次産業	サービス産業動向調査の調査対象産業	出典
事業所数	100.0	81.7	50.4	「平成26年経済センサス−基礎調査」結果（総務省）
従業者数	100.0	78.4	47.2	「平成26年経済センサス−基礎調査」結果（総務省）
ＧＤＰ	100.0	73.0	48.2	「2019年度 国民経済計算年次推計」（内閣府経済社会総合研究所）

付録2　サービス産業動向調査の概要

1　調査の目的
　　サービス産業の生産・雇用等の動向を月次で把握し，ＧＤＰの四半期別速報（ＱＥ）を始めとする各種経済指標の精度向上等に資することを目的としている。

2　調査の根拠法令
　　統計法（平成19年法律第53号）に基づく一般統計調査として実施している。

3　調査の対象
　　平成26年経済センサス‐基礎調査時に存在したサービス産業[※1]を主産業とする全国の事業所・企業等のうち，統計的手法によって選定[※2]された事業所・企業等を対象としており，約38,000事業所・企業等を調査している。
　　※1　調査対象業種の詳細は付録7参照
　　※2　選定方法の詳細は付録3参照

4　調査票の種類及び調査事項
（1）　調査票の種類
　　　事業所・企業等の別に，調査開始1か月目は「1か月目用調査票」，2か月目以降は「月次調査票」を用いて調査している。

（2）　調査事項
　　　調査票ごとの調査事項は以下の表のとおりである。

	月間売上高	事業所の主な事業の種類	月末の事業従事者数及びその内訳
1か月目用調査票（事業所用）	○（※）	○	○（※）
月次調査票（事業所用）	○	－	○
1か月目用調査票（企業等用）	○（事業活動別）（※）	－	○（※）
月次調査票（企業等用）	○（事業活動別）	－	○

※調査月及びその前月分を調査

（注）2017年1月調査より「需要の状況」を削除

5　調査の方法

　調査は，民間調査機関に委託し，調査対象事業所・企業等の事業主又は事業主に代わる者が配布された調査票に記入することにより実施している。調査票の配布・回収は，郵送又はオンライン調査により行っている。ただし，調査票が未回収の場合については，調査員が調査事業所を直接訪問し，回収を行うことがある。

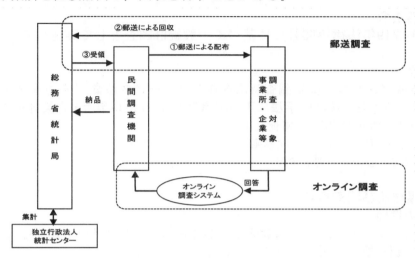

＜重複是正措置について＞

　記入者負担を軽減するため，本調査の調査対象事業所・企業等が，経済産業省の実施している統計調査※と重複している場合，本調査の調査票を配布せず，同省の調査から得られた調査票情報の提供を受けている。

※特定サービス産業動態統計調査

6　集計

　集計は，独立行政法人統計センターにおいて行っている。

7　結果の公表

　調査結果は，速報及び確報により，インターネット及び閲覧に供する方法で公表している。

　　速報：原則，調査対象とする月の翌々月の下旬に公表
　　確報：原則，調査対象とする月の5か月後の下旬に公表

付録3　調査対象の抽出，結果の推定方法及び推定値の標本誤差

1　調査対象の抽出

　　調査対象は，平成26年経済センサス‐基礎調査時に存在した(1)に掲げる産業を主産業とする全国の事業所・企業等の中から，統計的手法によって以下のとおり抽出した。

　事業所：約25,000　企業等：約13,000

　　（注）　2017年調査から，母集団を平成21年経済センサス‐基礎調査から平成26年経済センサス‐基礎調査に変更した。調査対象事業所・企業等は，平成26年経済センサス‐基礎調査を基に抽出しているが，各種情報により把握した平成26年経済センサス‐基礎調査後に新設された事業所・企業等についても母集団に適宜追加した上で抽出している。また，調査対象事業所が廃業した場合は代替の事業所を選定して調査対象としている。

　　　　　なお，平成26年経済センサス‐基礎調査では，東日本大震災（平成23年3月11日に発生した東北地方太平洋沖地震及びこれに伴う原子力発電所の事故による災害をいう。）に関して原子力災害対策特別措置法（平成11年法律第156号）第20条第2項の規定に基づき原子力災害対策本部長が設定した帰還困難区域又は居住制限区域（平成26年4月1日現在）を，調査対象地域から除外しているため，本調査における結果においても含まれていない。

(1)　サービス産業の範囲（付録7参照）

　　日本標準産業分類（平成25年10月改定）に掲げる以下の大分類（主な中分類ごとに設けられている小分類「管理，補助的経済活動を行う事業所」を除く）が調査対象である。

　　①　大分類G－情報通信業

　　②　大分類H－運輸業，郵便業

　　③　大分類K－不動産業，物品賃貸業

　　④　大分類L－学術研究，専門・技術サービス業

　　　　（中分類71－学術・開発研究機関及び細分類7282－純粋持株会社を除く。）

　　⑤　大分類M－宿泊業，飲食サービス業

　　⑥　大分類N－生活関連サービス業，娯楽業

　　　　（小分類792－家事サービス業を除く。）

　　⑦　大分類O－教育，学習支援業

　　　　（中分類81－学校教育を除く。）

　　⑧　大分類P－医療，福祉

　　　　（小分類841－保健所，小分類851－社会保険事業団体及び小分類852－福祉事務所を除く。）

　　⑨　大分類R－サービス業（他に分類されないもの）

　　　　（中分類93－政治・経済・文化団体，中分類94－宗教及び中分類96－外国公務を除く。）

(2)　調査対象の抽出と交替

①　企業等（全数調査）

　　ア　次の(ア)から(カ)までに掲げる産業を主産業とする企業等をしっ皆層とする。

　　　　(ア)小分類371－固定電気通信業

　　　　(イ)小分類372－移動電気通信業

　　　　(ウ)小分類381－公共放送業（有線放送業を除く）

　　　　(エ)中分類42－鉄道業

　　　　(オ)中分類46－航空運輸業

　　　　(カ)中分類49－郵便業（信書便事業を含む）

　　イ　ア以外で，資本金・出資金・基金が1億円以上の企業をしっ皆層とする。

　　ウ　交替を行わず，継続的に調査する。

② 事業所（全数調査又は標本調査）

上記①ア（ア）から（カ）までに掲げる産業以外のサービス産業を主産業とする事業所を以下のとおり抽出する。ただし，上記①ア及びイに該当する企業等に属する事業所は除く。

ア　全数調査については，一定規模以上の事業所をしっ皆層とし，継続的に調査する。

イ　標本調査については，上記ア以外の事業所を標本層とし，原則として，２年間継続して調査する。

2　結果の推定方法

調査の結果は，事業所及び企業等の推定値を合算することにより集計している。推定値は，調査票の欠測値や回答内容の矛盾などについて精査し，経済センサスや客体の公開情報等を基に補足訂正を行った上で推計している。

売上高及び事業従事者数について，平成26年経済センサス−基礎調査の結果等を基に以下の式により算出している。

総和の推定値（売上高，事業従事者数）： $\hat{T}_x = \sum_{h=1}^{L} W_h \sum_{i=1}^{n_h} x_{hi}$

h :　　層（産業分類×事業従事者規模×調査対象の種類（しっ皆層，標本層））

W_h:　　ウエイト $\frac{N_h}{n_h}$　なお，しっ皆層は $N_h = n_h$ で $W_h = 1$

L :　　層の数

N_h :　　第h層の母集団事業所数

n_h :　　第h層の調査事業所数

x_{hi} :　　第h層の第i番目の売上高，事業従事者数

3　推定値の標本誤差

売上高の総和について，標準誤差率を次の式により算出する。その結果は表のとおりである。

標準誤差率（％）： $\hat{\sigma}_{T_x} \ / \ \hat{T}_x \ \times 100$

売上高の総和の標準誤差： $\hat{\sigma}_{T_x} = \sqrt{\sum_{h=1}^{L} N_h (N_h - n_h) \frac{s_h^2}{n_h}}$

第h層の売上高の標本分散： $s_h^2 = \frac{1}{n_h - 1} \sum_{i=1}^{n_h} (x_{hi} - \bar{X}_h)^2$

第h層の売上高の平均値： $\bar{X}_h = \frac{1}{n_h} \sum_{i=1}^{n_h} x_{hi}$

表　産業、月別売上高の標準誤差率

(%)

産業中分類	計	2020年 1月	2月	3月	4月	5月	6月	7月	8月	9月	10月	11月	12月
サ　ー　ビ　ス　業	1.2	1.2	1.2	1.4	1.1	1.2	1.2	1.2	1.3	1.2	1.2	1.2	1.1
G 情　報　通　信　業	1.3	1.3	1.3	1.7	1.2	0.8	1.8	1.6	2.2	1.8	0.9	1.3	1.9
37 通　信　業	0.2	0.2	0.2	0.2	0.1	0.1	0.2	0.2	0.2	0.2	0.2	0.2	0.2
38 放　送　業	0.2	0.2	0.2	0.3	1.4	0.3	0.2	0.3	0.2	0.3	0.2	0.3	0.2
39 情　報　サ　ー　ビ　ス 業	2.9	2.9	1.6	3.1	2.4	1.8	3.6	3.7	5.2	3.4	2.0	3.1	3.9
40 インターネット附随サービス	2.2	2.2	2.3	2.8	8.3	2.7	2.6	2.9	2.6	2.4	2.4	2.4	2.4
41 映像・音声・文字情報制作	2.8	2.8	3.0	2.7	3.4	2.7	3.0	2.6	3.1	2.6	2.7	3.3	3.3
H 運　輸　業，郵　便　業	4.8	4.8	4.6	6.7	4.4	5.7	5.1	5.3	5.6	5.0	5.0	5.0	4.8
42 鉄　道　業	-	-	-	-	-	-	-	-	-	-	-	-	-
43 道　路　旅　客　運　送 業	3.9	3.9	4.1	3.9	3.4	4.5	4.0	4.3	4.2	4.1	4.4	4.4	4.4
44 道　路　貨　物　運　送 業	7.8	7.8	7.6	7.5	8.4	9.4	9.1	8.8	9.3	8.3	8.1	7.6	7.9
45 水　運　業	6.5	6.5	6.5	6.2	6.0	6.4	6.3	6.6	7.0	6.9	7.2	7.2	7.2
47 倉　庫　業	7.3	7.3	8.0	6.8	7.1	7.0	7.1	7.0	7.0	6.9	6.9	6.8	6.6
48 運輸に附帯するサービス業	15.9	15.9	14.5	19.4	3.6	13.5	11.1	14.3	15.4	13.4	13.9	14.9	13.1
4* 航空運輸業、郵便業(信書便事業を含む)	-	-	-	-	-	-	-	-	-	-	-	-	-
K 不　動　産　業，物　品　賃　貸　業	3.2	3.2	3.7	4.2	3.7	3.8	4.0	3.5	3.7	3.7	3.9	3.4	3.1
68 不　動　産　取　引　業	4.8	4.8	8.8	8.1	7.5	8.9	9.2	7.4	5.7	6.8	10.9	5.3	5.2
69 不動産賃貸業・管理業	4.8	4.8	4.7	5.7	5.4	4.9	5.2	5.1	5.9	5.7	4.9	5.1	5.0
70 物　品　賃　貸　業	6.4	6.4	6.8	6.6	6.9	7.2	7.1	6.6	6.7	6.8	6.3	6.7	6.1
L 学術研究，専門・技術サービス業 注1)	3.4	3.4	3.4	2.6	3.4	3.7	3.0	3.4	3.5	3.0	3.2	3.3	2.9
72 専門サービス業(他に分類されないもの) 注2)	8.7	8.7	8.1	6.5	7.9	8.7	7.9	8.5	9.0	8.1	8.2	8.2	8.1
73 広　告　業	2.6	2.6	2.5	3.3	4.3	4.3	4.1	4.4	3.1	2.8	3.1	3.8	2.5
74 技術サービス業(他に分類されないもの)	5.2	5.2	5.1	3.7	4.9	4.4	3.1	3.7	4.2	3.9	3.9	4.7	3.6
M 宿　泊　業，飲　食　サ　ー　ビ　ス　業	1.5	1.5	1.5	1.5	2.3	1.9	2.0	2.1	2.4	2.2	2.2	2.1	2.5
75 宿　泊　業	4.5	4.5	4.4	5.2	5.4	6.3	5.9	6.6	8.4	7.9	7.2	5.9	5.9
76 飲　食　店	1.5	1.5	1.5	1.7	2.2	2.2	2.3	2.2	2.3	2.1	2.1	2.1	3.0
77 持ち帰り・配達飲食サービス業	7.0	7.0	7.2	4.7	8.1	4.7	5.8	7.6	7.6	7.5	7.4	7.3	7.1
N 生　活　関　連　サ　ー　ビ　ス　業，娯　楽　業	4.1	4.1	3.8	4.0	2.6	2.3	3.7	4.0	3.9	3.8	3.6	3.4	3.4
78 洗濯・理容・美容・浴場業	3.9	3.9	3.8	4.1	4.0	3.8	3.7	3.7	3.8	3.8	3.7	3.8	3.7
79 その他の生活関連サービス業 注3)	3.9	3.9	3.8	5.1	8.7	7.3	6.4	6.3	6.2	6.0	5.4	5.2	6.0
80 娯　楽　業	5.8	5.8	5.6	5.5	3.1	3.0	5.0	5.3	5.1	5.1	5.0	4.7	4.6
O 教　育，学　習　支　援　業 注4)	3.6	3.6	4.5	4.6	5.3	5.3	4.5	3.7	3.8	4.0	4.3	4.2	4.2
82 その他の教育，学習支援業	3.6	3.6	4.5	4.6	5.3	5.3	4.5	3.7	3.8	4.0	4.3	4.2	4.2
82a 社会教育，職業・教育支援施設	12.0	12.0	12.4	13.7	17.6	19.7	17.6	12.3	11.5	13.2	13.2	15.2	18.6
82b 学習塾・教養・技能教授業	3.9	3.9	4.3	4.3	6.3	5.5	4.2	4.3	4.0	4.4	4.5	4.5	4.0
P 医　療，福　祉	1.2	1.2	1.2	1.2	1.2	1.2	1.2	1.2	1.2	1.2	1.2	1.2	1.2
83 医　療	1.3	1.3	1.3	1.3	1.3	1.4	1.3	1.3	1.3	1.3	1.3	1.3	1.3
84 保　健　衛　生 注5)	11.2	11.2	12.0	25.0	15.2	16.0	15.5	13.5	13.5	13.7	13.2	14.5	12.8
85 社会保険・社会福祉・介護事業 注6)	2.7	2.7	2.7	2.9	2.8	2.7	2.7	2.7	2.7	2.8	2.7	2.7	2.9
R サービス業(他に分類されないもの) 注7)	3.1	3.1	3.2	3.2	3.2	3.1	3.0	2.9	2.9	3.0	3.0	3.0	3.0
88 廃　棄　物　処　理　業	5.7	5.7	5.7	5.5	5.6	5.7	5.3	5.3	5.2	5.5	5.3	5.4	5.3
89 自　動　車　整　備　業	7.8	7.8	8.1	8.6	8.0	8.5	8.1	8.1	8.1	9.4	7.9	8.7	8.1
90 機械等修理業(別掲を除く)	5.0	5.0	11.0	11.2	5.6	5.6	5.7	6.2	6.9	5.1	5.4	6.0	5.1
91 職業紹介・労働者派遣業	10.7	10.7	10.9	10.9	11.0	10.7	10.7	10.2	10.2	10.5	10.3	10.5	10.7
92 その他の事業サービス業	4.2	4.2	3.9	4.1	4.2	4.2	3.8	3.8	3.7	4.1	4.1	4.2	4.0
95 その他のサービス業	6.2	6.2	6.1	6.1	23.3	6.7	6.6	5.9	6.6	5.9	5.7	6.4	5.7

注1)「学術・開発研究機関」を除く。注2)「純粋持株会社」を除く。注3)「家事サービス業」を除く。注4)「学校教育」を除く。
注5)「保健所」を除く。注6)「社会保険事業団体」及び「福祉事務所」を除く。注7)「政治・経済・文化団体」、「宗教」及び「外国公務」を除く。

付録4　用語の解説

1　事業所

事業所とは，経済活動の場所ごとの単位であって，原則として次の要件を備えているものをいう。

- 経済活動が，単一の経営主体のもとで一定の場所（一区画）を占めて行われていること。
- 物の生産や販売，サービスの提供が，従業者と設備を有して，継続的に行われていること。

2　企業等

「企業」とは，事業活動を行う法人（外国の会社を除く。）又は個人経営の事業所（個人経営であって同一の経営者が複数の事業所を経営している場合は，それらはまとめて一つの企業となる。）をいう。

「企業等」とは，企業及び国・地方公共団体が運営する公営企業等を一部含めたものをいう。

3　売上高

事業所・企業等において，サービス等を提供した対価として得られたもの（消費税等の間接税を含む。）で，仕入高や給与などの経費を差し引く前の金額をいう。

＜売上高に含めるもの＞

- 受託販売　…　販売手数料収入
- 委託販売　…　委託先で販売した実際の販売額
- 不動産代理業・仲介業　…　代理手数料収入，仲介手数料収入など
- 取次業　…　取次手数料収入（クリーニングや写真（現像・焼付・引伸）などの手数料）
- 自家消費・贈与　…　商品や製品などを自家用に消費したり他人に贈与した場合には，金額に換算した額
- 医療業・介護事業　…　医療保険・介護保険からの受取保険料，利用者の自己負担など
- 会社以外の法人及び法人でない団体　…　事業活動によって得た収入

＜売上高に含めないもの＞

- 預金・有価証券などから生じた事業外の利子・配当収入
- 事業外で有価証券，土地や建物などの財産（資産）を売却して得た収入
- 借入金，繰越金
- 本所・本社・本店などから支給される支所・支社・支店の運営経費
- 事業活動を継続するための収入

  （運営交付金，寄付金，献金，補助金，会費，会員の負担金など）

＜売上高の計上時点＞

- 売上高は，代金を受領した月でなく，サービス等を提供した月の売上高を計上
- （例）割賦販売については，サービス等を提供した月に計上

  学習塾などで授業料を3か月分まとめて受け取った場合，授業を実施した期間（3か月）で均等割り

  ソフトウェア開発などの長期にわたる事業については，進行状況に応じて計上
- 売上高は，月初めから月末まで1か月間を計上

4　事業従事者

事業所・企業等において，月末に最も近い営業日に実際に働いている人（「出向又は派遣として他の企業などで働いている人」を含まず，「出向又は派遣として他の企業などからきてこの事業所・企業等で働いている人」を含む。）をいう。

事業従事者を次のように区分した。

有給役員

個人経営以外の場合で，役員報酬を得ている人をいう。

個人業主

個人経営の事業主をいう。個人が共同で事業を行っている場合，そのうちの1人を個人業主とし，他の人は常用雇用者とする。

無給の家族従業者

個人業主の家族などで，賃金や給与を受けずに，事業所を手伝っている人をいう。

常用雇用者

期間を定めずに雇用されている人又は1か月以上の期間を定めて雇用されている人をいう。

正社員・正職員

　常用雇用者のうち，一般に正社員・正職員としている人をいう。

正社員・正職員以外

　常用雇用者のうち，一般に契約社員，嘱託社員，パートタイマー，アルバイト又はそれに近い名称で呼ばれている人をいう。

臨時雇用者

　常用雇用者以外の雇用者で，1か月未満の期間を定めて雇用されている人又は日々雇用されている人をいう。

別経営の事業所・企業等からの出向・派遣

　出向又は派遣として，他の企業などから来てこの事業所・企業等で働いている人で，労働者派遣事業の適正な運営の確保及び派遣労働者の保護等に関する法律（昭和 60 年法律第 88 号）でいう派遣労働者のほかに，在籍出向など出向元に籍がありながら，この事業所・企業等で働いている人をいう。

5　事業活動の産業

　事業所・企業等が行う事業活動を単位とした産業分類である。企業等においては個々の事業活動ごとに，事業所においては，単一の事業活動を行っているとみなし，当該事業所の主要な事業活動により分類している。

6　事業所・企業等の産業

　事業所・企業等を単位とした産業分類である。企業等においては傘下事業所を含めた当該企業等全体の主要な事業活動，事業所においては当該事業所の主要な事業活動により分類している。

7　経営組織

個人経営

　個人が事業を経営している場合をいう。

　法人組織になっていなければ，共同経営の場合も個人経営に含まれる。

法人

　法律の規定によって法人格を認められているものが事業を経営している場合をいう。以下の会社及び会社以外の法人が該当する。

会社

　株式会社，有限会社，合名会社，合資会社，合同会社，相互会社及び外国の会社をいう。

　ここで，外国の会社とは，外国で設立された法人の支店，営業所などで，会社法（平成 17 年法律第 86 号）の規定により日本に営業所などの所在地を登記したものをいう。

　なお，外国人の経営する会社や外国の資本が経営に参加しているいわゆる外資系の会社は，外国の会社ではない。

会社以外の法人

　会社以外で法人格を持っている団体をいい，国・地方公共団体も含む。例えば，独立行政法人，地方独立行政法人，国立大学法人，大学共同利用機関法人，特殊法人，認可法人，一般社団法人，一般財団法人，公益社団法人，公益財団法人，社会福祉法人，医療法人，更生保護法人，国民健康保険組合，共済組合，弁護士法人，監査法人，税理士法人などが含まれる。

法人でない団体

　法人格を持たない団体をいう。例えば，協議会などの事務所等が含まれる。

8　資本金

　株式会社及び有限会社については資本金の額，合名会社，合資会社及び合同会社については出資金の額，相互会社については基金の額をいう。

付録5　調査票様式

① 1か月目用調査票（事業所用）

② 1か月目用調査票（企業等用）

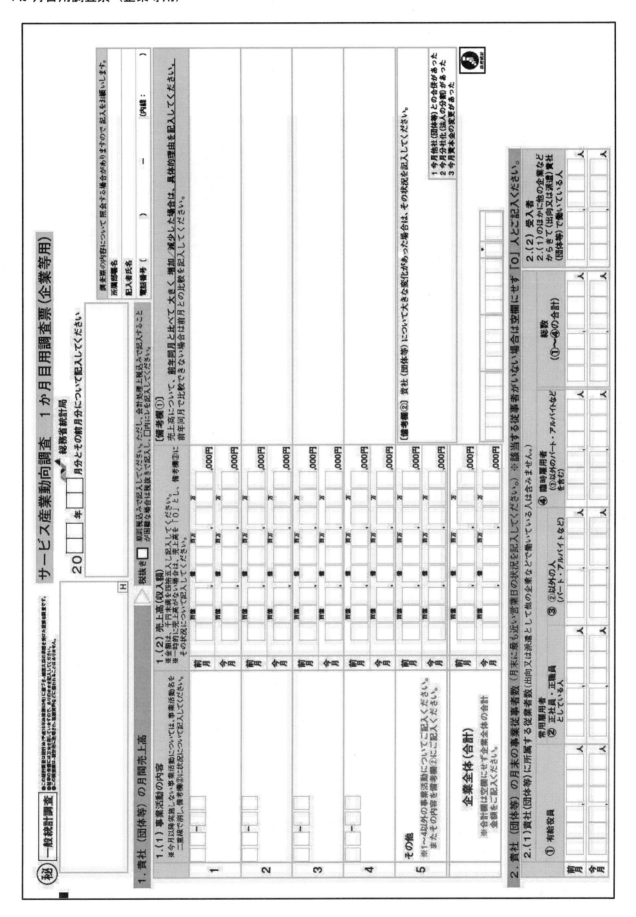

82

③ 月次調査票（事業所用）

サービス産業動向調査 月次調査票（事業所用）

83

④ 月次調査票（企業等用）

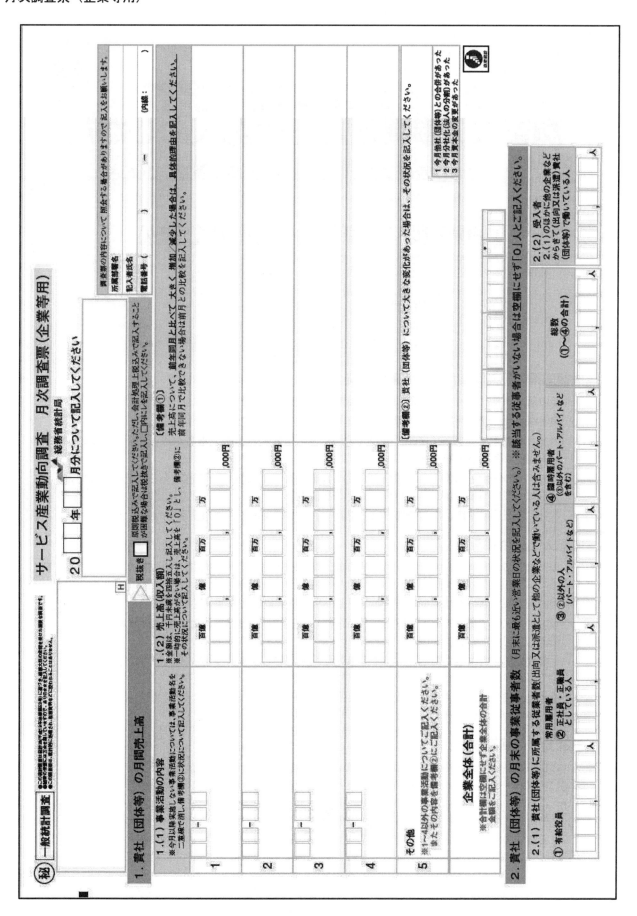

付録6　調査票の記入のしかた

① 調査票（事業所用）の記入のしかた

2020.1更新

政府統計

サービス産業動向調査
調査票（事業所用）の記入のしかた

保存版 本書は調査終了まで使用します。大切に保管してください。

調査票を記入する前に、よくお読みください

❖調査票の記入に当たっての留意事項

- この調査票は、サービス産業に含まれる事業を行っている事業所にお配りしております。
- 事業所とは、サービスの提供等が行われている個々の場所をいいます。
- 店舗、事務所、営業所、医院、旅館などのように固定的な場所で事業を行っている場合は、その場所が事業所となります。
- 個人タクシーなど事業を行う場所が一定しない場合や個人教授、著述家など自宅の一部で事業を営んでいる場合は、自宅が事業所となります。
- 本社、支社、営業所、出張所などは、それぞれ、その場所ごとに事業所となります。

＜記入上の注意点＞

- 黒又は青のボールペンなどで、はっきり記入してください（摩擦熱でインクが消えるボールペンは使用しないでください）。
- 内容を訂正する場合は、二重線で消し、正しい内容を記入してください。
- 数字を記入する欄について、**売上がない場合や該当者がいない場合には空欄にせず、「0」と記入**してください。
- 金額欄は、千円未満を四捨五入し千円単位で記入してください。また、「¥」記号は付けないでください。
- 提出期限までに調査票のご提出を確認できない場合や、ご提出いただいた調査票に記入漏れなどがあった場合、後日、おたずねすることがあります。

❖調査票の回答方法

　調査票は、**インターネット又は、郵送によりご回答ください。**インターネットでの回答については、8ページ～19ページの「2．オンライン使用ガイド」をご覧ください。

総務省統計局

① GF-06

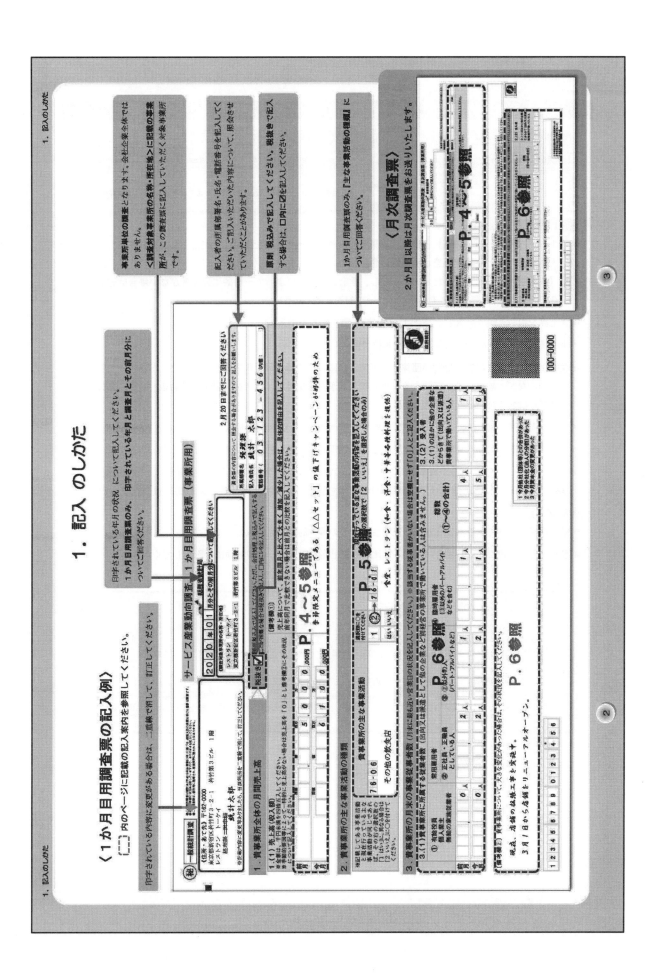

1. 記入のしかた

1. 貴事業所全体の月間売上高

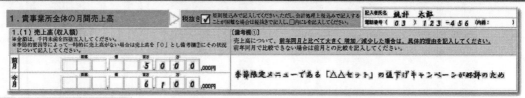

1.(1) 売上高（収入額）

- ●「1.(1)売上高（収入額）」とは、貴事業所においてサービス等を提供した対価として得られたもので、仕入高や給与などの経費を差し引く前の金額をいいます。売上高（収入額）は、貴事業所における全売上高（収入額）を記入してください。ただし、季節的要因等によって一時的に売上高がない場合は売上高を「0」とし、〔備考欄②〕にその状況について記入してください。

- ● 売上高を税抜き額で記入する場合は、「税抜き □」にレを記入してください。

- ● 金額欄は、千円未満を四捨五入し千円単位で記入してください。

- ● 会社以外の法人及び法人でない団体は、事業活動によって得られた収入（利用料など）があればご記入ください。なお、事業活動を継続するための収入（運営費交付金、寄付金、献金、補助金、会費、会員の負担金等）は含めないでください。

- ● 正確な売上高（収入額）がどうしても把握できない場合は、概算額を記入してください。

- ● 売上が発生しなかった月は「0」と記入し、その理由を〔備考欄②〕に記入してください。

- ● 修理センターなどで、代金が貴事業所に直接支払われず、本社等に振り込まれている場合は、その振込代金は本社の売上高（収入額）とはせず、実際にサービスを提供した事業所の売上高（収入額）としてください。

〔備考欄①〕

- ● 前年同月に比べて大きな変化があった場合は、その具体的理由を記入してください。

- ● 前年同月と比較できない場合は、前月と比較し売上高（収入額）の増減理由を記入してください。

売上高（収入額）の計上時点について

○売上高（収入額）は、代金を受領した月ではなく、サービス等を提供した月に計上してください。
例）・割賦販売については、サービス等を提供した月に計上してください。
・学習塾などで授業料を3か月分まとめて受け取った場合、授業を実施した期間（3か月間）で均等割りして計上してください。
・ソフトウェア開発などの長期にわたる事業については、進行状況に応じて計上してください。
○売上高（収入額）は、月初めから月末までの1か月間の金額を記入してください。やむを得ない場合は、一定の日を定めてその日から1か月間の金額を記入することは差し支えありませんが、翌月以降の調査票においても同一の期間で記入してください。

売上高（収入額）に含めるもの

業種・業態	売上高（収入額）に含めるもの
新聞業・出版業	新聞売上高、広告収入など
広告業	広告制作料、媒体手数料など
道路旅客運送業	旅客運賃、手荷物運賃、物品保管料、広告料など
道路貨物運送業	物流事業収益、構内作業及び機械荷役事業収益など
不動産取引業	不動産販売高、代理手数料収入、仲介手数料収入など
駐車場業	駐車料金、月ぎめ契約料金など
マンション管理業	マンション管理費など
物品賃貸業	賃貸料、リース料、レンタル料など
公認会計士事務所	報酬、契約料など
ホテル業	室料、料理・飲料代など
取次店	取次手数料（クリーニングや写真（現像・焼付・引伸）などの取次手数料）
理容業・美容業	整髪料、パーマ代、カット代、メイク代、着付け代など
旅行業	運送、宿泊等の契約料など
結婚式場業	結婚式代、披露宴代など
写真業	写真撮影料、フィルム現像料、焼付料、引伸料など
学習塾	授業料、月謝など
病院	入院診療収益、室料差額収益、外来診療収益、保健予防活動収益、医療保険からの受取保険料など
療術業	あん摩料、マッサージ料、指圧料、医療保険からの受取保険料など
特別養護老人ホーム	介護報酬、利用者負担金、基本食事サービス代、介護保険からの受取保険料など
有料老人ホーム	入居金、介護報酬、管理費、食費、個別有料サービス代、介護保険からの受取保険料など
産業廃棄物処理業	運搬料金、中間処理料金、最終処分料金、自治体等からの受託料など
自動車整備業	車検整備代、定期点検整備代、事故整備代など
職業紹介・労働者派遣業	人材派遣・請負、人材紹介事業収入、アウトソーシング事業収入など
建物サービス業	ビル清掃契約料、保守料など
受託販売業・委託販売業	受託販売によって得た販売手数料収入や、委託先で販売した実際の販売額
その他	商品や製品などを自家用に消費したり他人に贈与した場合の、金額に換算した額

売上高（収入額）に含めないもの

○預金・有価証券などから生じた**事業外の利子・配当収入**
○事業外で有価証券、土地や建物などの財産（資産）を売却して得た収入
○**借入金、繰越金**
○本所・本社・本店などから支給される支所・支社・支店の運営経費
○会社以外の法人及び法人でない団体における**事業活動を継続するための収入**（運営費交付金、寄付金、献金、補助金、会費、会員の負担金等）
　注）この調査票では、事業活動を継続するための収入については売上高（収入額）に含めません。

2. 貴事業所の主な事業活動の種類　※1か月目用調査票のみ記入していただきます。

※記載してある事業活動と現在行っている主な事業活動が同じであれば、その右の選択肢の「1 はい」に、異なる場合は「2 いいえ」に○を付けてください。	貴事業所の主な事業活動	選択肢に○を付けてください	現在行っている主な事業活動の内容を記入してください（左の選択肢で「2 いいえ」を選択した場合のみ）
	76-06 その他の飲食店	1　② → 76-01　はい　いいえ	食堂、レストラン（和食・洋食・中華等各種料理を提供）

● **「主な事業活動の種類」** としてあらかじめ記載されている事業活動が、現在の事業活動と相違ない場合は「1　はい」に○印を付けてください。異なる場合は「2　いいえ」に○印を付けて、正しい事業活動名及びそれに対応する分類番号（別冊「事業活動一覧」を参照）を右側の記入欄に記入してください。

● 主な事業活動がサービス産業以外であれば、分類番号を「10-00」として記入し、具体的にどのような事業を行っているのか記入してください。ご記入内容について照会させていただく場合があります。

88

1. 記入のしかた

3. 貴事業所の月末の事業従事者数　※月次調査票は『2. 貴事業所の月末の事業従事者数』

	3.(1)貴事業所に所属する従業者数（出向又は派遣として他の企業など別経営の事業所で働いている人は含みません。）					3.(2) 受入者
	① 有給役員 個人業主 無給の家族従業者	常用雇用者 ② 正社員・正職員 としている人	③ ②以外の人 （パート・アルバイトなど）	④ 臨時雇用者 （③以外のパート・アルバイト などを含む）	総数 （①〜④の合計）	3.(1)のほかに他の企業な どからきて（出向又は派遣） 貴事業所で働いている人
前月	0 人	2 人	1 人	1 人	4 人	1 人
今月	0 人	2 人	2 人	1 人	5 人	0 人

3.（1）貴事業所に所属する従業者数

- 「① 有給役員」とは、個人経営以外の場合で、役員報酬を得ている人をいいます。

- 「① 個人業主」とは、個人経営の事業主をいいます。個人が共同で事業を行っている場合、そのうちの1人を個人業主とし、他の人は常用雇用者としてください。

- 「① 無給の家族従業者」とは、個人業主の家族などで、賃金や給与を受けずに、貴事業所を手伝っている人をいいます。

- 「常用雇用者」とは、以下の要件のいずれかに該当する人をいいます。
  - ・雇用期間を定めないで雇用している人
  - ・1か月以上の雇用期間を定めて雇用している人
  - ◇「② 正社員・正職員としている人」とは、以下の人をいいます。
    - ・常用雇用者のうち、正社員・正職員として処遇している人
    - ・一般的に、雇用契約期間に定めがなく（定年制を含む。）、貴事業所で定められている1週間の所定労働時間で働いている人
  - ◇「③ ②以外の人（パート・アルバイトなど）」とは、常用雇用者のうち、契約社員、嘱託社員、パートタイマー、アルバイトなど「正社員・正職員としている人」以外の人をいいます。

- 「④ 臨時雇用者（③以外のパート・アルバイトなどを含む）」とは、常用雇用者以外の雇用者で、1か月未満の期間を定めて雇用されている人や、日々雇用されている人をいいます。

- ①〜④に、出向又は派遣として他の企業などで働いている人を含みません。

「総数（①〜④の合計）」

（1）の①〜④欄を合算して記入してください。

3.（2）受入者

- 労働者派遣法でいう派遣労働者のほかに、在籍出向など出向元に籍がありながら、貴事業所で働いている人をいいます。

- 業務委託の人は含めないでください。

※該当者がいない場合には空欄にせず「0」人と記入してください。

〔備考欄②〕

〔備考欄②〕貴事業所について、大きな変化があった場合は、その状況を記入してください。

現在、店舗の拡張工事を実施中。
3月1日から店舗を拡張してリニューアルオープン。

1 今月他社（団体等）との合併があった
2 今月分社化（法人の分割）があった
3 今月資本金の変更があった

- 貴事業所について、大きな変化があった場合は、その状況を記入してください。

6

「指定管理者制度」を導入している事業所の記入方法

「指定管理者制度」とは、地方自治体が所管する公の施設の管理・運営を、指定した民間事業者等（指定管理者）に委任する制度のことです。

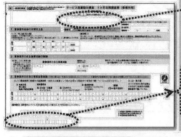

《調査対象事業所の名称・所在地》欄に印字されている事業所が調査事業所です。地方公共団体と指定管理者の両方に対して調査を実施する場合がありますので、調査対象をご確認のうえ、ご記入をお願いいたします。

※1　調査票下部の数字末尾が「2」…調査対象は　地方公共団体

1	2	3	4	5	6	7	8	9	0	1	2	3	*	4	5	2

※2　調査票下部の数字末尾が「2」以外…調査対象は　指定管理者

【例】「〇〇市立産業会館」が指定管理者制度を導入し、「××株式会社」が管理・運営しているケース

・従業員は総数5名。うち「××株式会社」の社員が4名、「〇〇市」の職員が1名である。
・「〇〇市」から指定管理者である「××株式会社」に対して指定管理料 2,000 千円（月額）が支払われている。
・「××株式会社」から「〇〇市」に納付金 1,000 千円（月額）が支払われている。
・利用者は、利用料を1回につき 500 円を支払っているが、そのうち「××株式会社」が 300 円、「〇〇市」が 200 円をそれぞれ受け取っている。
・調査当月の利用者数は 1,000 人である。

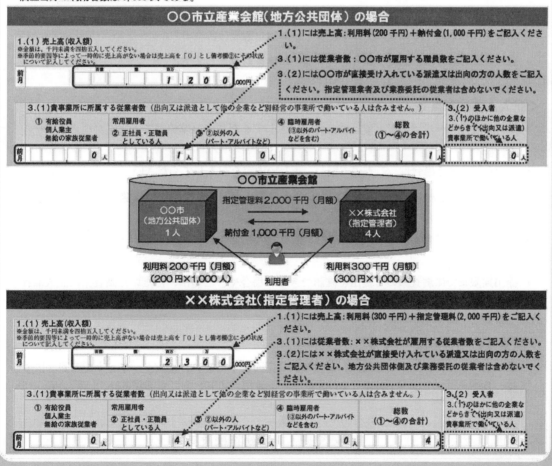

② 調査票（企業等用）の記入のしかた

2020.1更新

サービス産業動向調査
調査票（企業等用）の記入のしかた

政府統計

保存版 本書は調査終了まで使用します。大切に保管してください。

調査票を記入する前に、よくお読みください。

◆調査票の記入に当たっての留意事項

・ 企業等には、国・地方公共団体が運営する公営企業等を含めます。

・ 会社企業の場合は、**連結子会社を含まない単体を対象**とします。

＜記入上の注意点＞

・ 黒又は青のボールペンなどで、はっきり記入してください（摩擦熱でインクが消えるボールペンは使用しないでください）。

・ 内容を訂正する場合は、二重線で消し、正しい内容を記入してください。

・ 数字を記入する欄について、**売上がない場合や該当者がいない場合には空欄にせず、「0」と記入**してください。

・ 金額欄は、千円未満を四捨五入し千円単位で記入してください。また、「¥」記号は付けないでください。

・ 提出期限までに調査票のご提出を確認できない場合や、ご提出いただいた調査票に記入漏れなどがあった場合、後日、おたずねすることがあります。

◆調査票の回答方法

調査票は、**インターネット又は、郵送によりご回答ください。**インターネットでの回答については、8ページ〜19ページの「2. オンライン使用ガイド」をご覧ください。

総務省統計局

①

GF-05

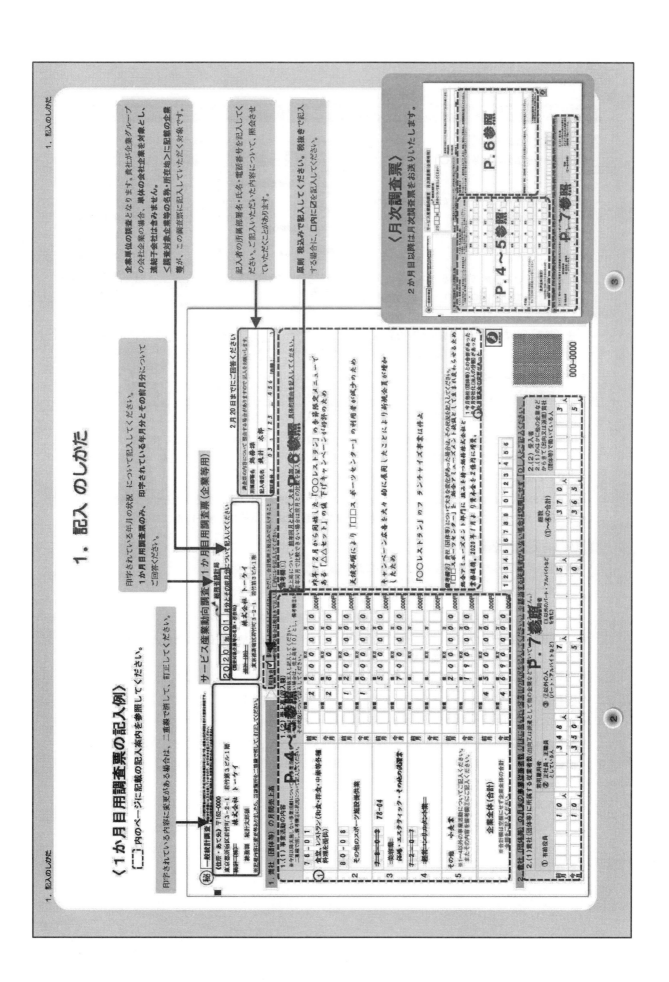

91

1．記入のしかた

1．　貴社（団体等）の月間売上高

1．（1）事業活動の内容

● 主要な事業活動の番号に「○」を記してい
ます。

● 事業活動1～4に印字された事業活動につ
いて、年間売上高（収入額）が大きいサー
ビス業の事業活動（上位4つ）であるかを
確認してください。

● 記載されている事業活動が異なる場合は、
事業活動名等を二重線で消して、余白に正
しい事業活動名及びそれに対応する分類番
号（別冊「事業活動一覧」を参照）を記入
してください。

● 印字された事業活動以外で、実施している
事業活動があれば、事業活動名及びそれに
対応する分類番号（別冊「事業活動一覧」を参照）を記入してください。

● 実施しないこととした事業活動は、事業活動名等を二重線で消してください。ただし、季節的要因等によっ
て**一時的に休止している事業活動**については、事業活動名等を消さず「1．（2）売上高（収入額）」欄に
「0」と記入してください。また、〔備考欄②〕欄にその理由を記入してください。

● **「5　その他」**には、事業活動1～4以外のサービス業や、卸売業、小売業、製造業などサービス業以外の
事業活動が含まれます。**「5　その他」のうち主な事業活動についてはその内容を記入**してください。

1．（2）売上高（収入額）

● 「1．（2）売上高（収入額）」とは、貴社（団体等）において**サービス等を提供した対価として得られたも
の**で、仕入高や給与などの**経費を差し引く前の金額**をいいます。
売上高（収入額）は、貴社（団体等）における**全売上高（収入額）**を記入してください。

● 売上高を税抜き額で記入する場合は、**「税抜き　□」にレ**を記入してください。

● 金額欄は、千円未満を四捨五入し千円単位で記入してください。

● **会社以外の法人及び法人でない団体は、事業活動によって得られた収入（利用料など）があればご記入く
ださい。**なお、事業活動を継続するための収入（運営費交付金、寄付金、献金、補助金、会費、会員の負
担金等）は含めないでください。

● 正確な売上高（収入額）がどうしても把握できない場合は、概算額を記入してください。

● 売上が発生しなかった月は「0」と記入し、その理由を〔備考欄②〕に記入してください。

● 事業活動1～5の合計と「企業全体（合計）」が同額とならない場合は、**「5　その他」で同額となるように
調整**してください。

売上高（収入額）に含めるもの

業種・業態	売上高（収入額）に含めるもの
新聞業・出版業	新聞売上高、広告収入など
広告業	広告制作料、媒体手数料など
道路旅客運送業	旅客運賃、手荷物運賃、物品保管料、広告料など
道路貨物運送業	物流事業収益、構内作業及び機械荷役等事業収益など
不動産取引業	不動産販売高、代理手数料収入、仲介手数料収入など
駐車場業	駐車料金、月ぎめ契約料金など
マンション管理業	マンション管理費など
物品賃貸業	賃貸料、リース料、レンタル料など
公認会計士事務所	報酬、契約料など
ホテル業	室料、料理・飲食代など
取次店	取次手数料（クリーニングや写真（現像・焼付・引伸）などの取次手数料）
理容業・美容業	整髪料、パーマ代、カット代、メイク代、着付け代など
旅行業	運送、宿泊等の契約料など
結婚式場業	結婚式代、披露宴代など
写真業	写真撮影料、フィルム現像料、焼付料、引伸料など
学習塾	授業料、月謝など
病院	入院診療収益、室料差額収益、外来診療収益、保健予防活動収益、医療保険からの受取保険料など
療術業	あん摩料、マッサージ料、指圧料、医療保険からの受取保険料など
特別養護老人ホーム	介護報酬、利用者負担金、基本食事サービス代、介護保険からの受取保険料など
有料老人ホーム	入居金、介護報酬、管理費、食費、個別有料サービス代、介護保険からの受取保険料など
産業廃棄物処理業	運搬料金、中間処理料金、最終処分料金、自治体等からの受託料など
自動車整備業	車検整備代、定期点検整備代、事故整備代など
職業紹介・労働者派遣業	人材派遣・請負、人材紹介事業収入、アウトソーシング事業収入など
建物サービス業	ビル清掃契約料、保守料など
受託販売業・委託販売業	受託販売によって得た販売手数料収入や、委託先で販売した実際の販売額
その他	商品や製品などを自家用に消費したり他人に贈与した場合の、金額に換算した額

売上高（収入額）に含めないもの

● 預金・有価証券などから生じた**事業外の利子・配当収入**
● **事業外**で有価証券、土地や建物などの財産（資産）を売却して得た収入
● **借入金、繰越金**
● **会社以外の法人及び法人でない団体**における**事業活動を継続するための収入**（運営費交付金、寄付金、献金、補助金、会費、会員の負担金等）
　注）この調査票では、事業活動を継続するための収入については売上高（収入額）に含めません。

売上高（収入額）の計上時点について

● 売上高（収入額）は、代金を受領した月ではなく、**サービス等を提供した月に計上**してください。
　注）ソフトウェア開発などの長期にわたる事業については、進行状況に応じて計上してください。
● 売上高（収入額）は、**月初めから月末までの1か月間の金額**を記入してください。やむを得ない場合は、一定の日を定めてその日から1か月間の金額を記入することは差し支えありませんが、翌月以降の調査票においても同一の期間で記入してください。

1．記入のしかた

【備考欄①】

1.（2）売上高（収入額） ※金額は、千円未満を四捨五入し記入してください。 ※一時的に売上高がない場合は、売上高を「0」とし、備考欄②に 　その状況について記入してください。														〔備考欄①〕 売上高について、前年同月と比べて　大きく　増加／減少した場合は、具体的理由を記入してください。 前年同月で比較できない場合は前月との比較を記入してください。
前 月			百億	2	億	6	0	百万	0	0	万	0	0	0	,000円	昨年12月から開始した「○○レストラン」の季節限定メニューで
今 月			百億	2	億	8	0	百万	0	0	万	0	0	0	,000円	ある「△△セット」の値下げキャンペーンが好評のため

● それぞれの事業活動において売上高（収入額）が前年同月に比べて大きな変化があった場合は、その具体的理由を記入してください。

● 前年同月と比較できない場合は、前月と比較し売上高（収入額）の増減理由を記入してください。

【備考欄②】

〔備考欄②〕貴社（団体等）について大きな変化があった場合は、その状況を記入してください。

「□□スポーツセンター」を総合アミューズメント施設として生まれ変わらせるため、総合アミューズメント部門に強みを持つ総務株式会社と業務提携。2020年1月より資本金を2億円に増資。

1 今月他社（団体等）との合併があった
2 今月分社化（法人の分割）があった
③ 今月資本金の変更があった

● 貴社（団体等）について、大きな変化があった場合は、その状況を記入してください。

● 特記事項の例として選択肢を設けましたので、該当する項目の番号に○を付けるなどによりご利用ください。

記入のしかた よくあるお問い合わせ①

Q1 あらかじめ印字されている事業活動が違っていますが、事業活動一覧に該当するものがありません。どのように記入したらよいですか。

A1 印字されている事業活動を二重線で消し、備考欄②に事業内容の詳細をご記入ください。後日お電話で照会させていただきます。

Q2 売上高（収入額）は、実際に入金された月に記入するのですか。

A2 実際に入金された月ではなく、**サービスを提供した月にご記入**ください。

2．貴社（団体等）の月末の事業従事者数

	① 有給役員	常用雇用者 ② 正社員・正職員としている人	③ ②以外の人（パート・アルバイトなど）	④ 臨時雇用者（③以外のパート・アルバイトなど含む）	総数（①〜④の合計）	2.（2）受入者 2.（1）のほかに他の企業などからきて（出向又は派遣）貴社（団体等）で働いている人
前月	10人	348人	7人	5人	370人	3人
今月	10人	350人	5人	0人	365人	5人

※ 2.（1）貴社（団体等）に所属する従業者数（出向又は派遣として他の企業などで働いている人は含みません。）

2.（1）貴社（団体等）に所属する従業者数

- 「① 有給役員」とは、個人経営以外の場合で、役員報酬を得ている人をいいます。

- 「常用雇用者」とは、以下の要件のいずれかに該当する人をいいます。
  - ・ 雇用期間を定めないで雇用している人
  - ・ 1か月以上の雇用期間を定めて雇用している人
  ◇ 「② 正社員・正職員としている人」とは、以下の人をいいます。
    - ・ 常用雇用者に該当する人のうち、正社員・正職員として処遇している人
    - ・ 一般的に、雇用契約期間に定めがなく（定年制を含む。）、貴社（団体等）で定められている1週間の所定労働時間で働いている人
  ◇ 「③ ②以外の人（パート・アルバイトなど）」とは、常用雇用者のうち、契約社員、嘱託社員、パートタイマー、アルバイトなど「正社員・正職員としている人」以外の人をいいます。

- 「④ 臨時雇用者（③以外のパート・アルバイトなどを含む）」とは、常用雇用者以外の雇用者で、1か月未満の期間を定めて雇用されている人や、日々雇用されている人をいいます。

- ①〜④に、出向又は派遣として他の企業などで働いている人を含みません。

「総数（①〜④の合計）」

（1）の①〜④欄を合算して記入してください。

2.（2）受入者

- 労働者派遣法でいう派遣労働者のほかに、在籍出向など出向元に籍がありながら、貴社（団体等）で働いている人をいいます。

- 業務委託の人は含めないでください。

- 出向又は派遣で働いている従事者の人数が把握できない場合は、その旨を備考欄に記入してください。

※該当者がいない場合には空欄にせず「0」人と記入してください。

記入のしかた よくあるお問い合わせ②

Q 会社の有給役員が複数の会社で役員をしている場合は、それぞれ事業従事者として含めるのですか。

A
- ・役員報酬がそれぞれの会社から支給されている場合は、それぞれの「①有給役員」に含めてください。
- ・役員報酬がある出向役員は、支払元の「①有給役員」に含めてください。
- ・1社からのみ役員報酬を受けていて、他社では名目的な役員（無報酬）の場合は、他社の事業従事者には含めません。

付録7　第三次産業におけるサービス産業動向調査の調査対象産業

□：サ ー ビ ス 産 業 動 向 調 査 の 対 象
▨：サ ー ビ ス 産 業 動 向 調 査 の 対 象 外

産 業 分 類	平成26年経済センサス - 基礎調査結果	
	事業所数（千事業所）	従業者数（千人）
F 電 気 ・ ガ ス ・ 熱 供 給 ・ 水 道 業	9	279
G 情 報 通 信 業	66	1,631
37 通 信 業	4	154
38 放 送 業	2	68
39 情 報 サ ー ビ ス 業	36	1,074
40 イ ン タ ー ネ ッ ト 附 随 サ ー ビ ス 業	5	83
41 映 像 ・ 音 声 ・ 文 字 情 報 制 作 業	19	251
H 運 輸 業 ， 郵 便 業	135	3,284
42 鉄 道 業	5	252
43 道 路 旅 客 運 送 業	25	560
44 道 路 貨 物 運 送 業	72	1,714
45 水 運 業	3	50
46 航 空 運 輸 業	1	55
47 倉 庫 業	10	198
48 運 輸 に 附 帯 す る サ ー ビ ス 業	18	371
49 郵 便 業 （ 信 書 便 事 業 を 含 む ）	0	85
I 卸 売 業 ， 小 売 業	1,407	12,033
J 金 融 業 ， 保 険 業	87	1,513
K 不 動 産 業 ， 物 品 賃 貸 業	385	1,496
68 不 動 産 取 引 業	66	323
69 不 動 産 賃 貸 業 ・ 管 理 業	288	861
70 物 品 賃 貸 業	32	312
L 学 術 研 究 ， 専 門 ・ 技 術 サ ー ビ ス 業	232	1,891
71 学 術 ・ 開 発 研 究 機 関	7	293
72 専門サービス業（他に分類されないもの）	117	640
73 広 告 業	10	125
74 技術サービス業（他に分類されないもの）	99	833
M 宿 泊 業 ， 飲 食 サ ー ビ ス 業	728	5,521
75 宿 泊 業	52	697
76 飲 食 店	620	4,231
77 持 ち 帰 り ・ 配 達 飲 食 サ ー ビ ス 業	56	592
N 生 活 関 連 サ ー ビ ス 業 ， 娯 楽 業	490	2,540
78 洗 濯 ・ 理 容 ・ 美 容 ・ 浴 場 業	371	1,186
79 そ の 他 の 生 活 関 連 サ ー ビ ス 業 1)	57	433
80 娯 楽 業	61	922
O 教 育 ， 学 習 支 援 業	224	3,142
81 学 校 教 育	57	2,188
82 そ の 他 の 教 育 ， 学 習 支 援 業	167	954
P 医 療 ， 福 祉	447	7,932
83 医 療 業	259	4,046
84 保 健 衛 生	5	135
85 社 会 保 険 ・ 社 会 福 祉 ・ 介 護 事 業	183	3,752
Q 複 合 サ ー ビ ス 事 業	35	519
R サ ー ビ ス 業 （ 他 に 分 類 さ れ な い も の ）	365	4,746
88 廃 棄 物 処 理 業	23	325
89 自 動 車 整 備 業	58	264
90 機 械 等 修 理 業 （ 別 掲 を 除 く ）	30	237
91 職 業 紹 介 ・ 労 働 者 派 遣 業	18	948
92 そ の 他 の 事 業 サ ー ビ ス 業	85	2,375
93 政 治 ・ 経 済 ・ 文 化 団 体	50	276
94 宗 教	93	265
95 そ の 他 の サ ー ビ ス 業	8	56
96 外 国 公 務	—	—
S 公 務 （ 他 に 分 類 さ れ る も の を 除 く ）	40	1,897
第 三 次 産 業 計	4,651	48,424
う ち サ ー ビ ス 産 業 動 向 調 査 の 対 象 2)	2,853	28,836

注1)　「家事サービス」を除く。
注2)　「純粋持株会社」，「保健所」，「社会保険事業団体」，「福祉事務所」及び中分類ごとに設けられている小分類「管理，補助的
　　　経済活動を行う事業所」を除く。

出典：「平成26年経済センサス - 基礎調査」結果（総務省統計局）

(参考) 調査対象産業に含まれる主な業種

産業分類	主な業種
G　情報通信業	
37　通信業	固定電気通信業 ／ 移動電気通信業
38　放送業	公共放送業 ／ 民間放送業 ／ 有線放送業
39　情報サービス業	ソフトウェア業 ／ 情報処理・提供サービス業
40　インターネット附随サービス業	インターネット附随サービス業
41　映像・音声・文字情報制作業	映像情報制作・配給業 ／ 音声情報制作業 ／ 新聞業 ／ 出版業 ／ 広告制作業
H　運輸業, 郵便業	
42　鉄道業	鉄道業
43　道路旅客運送業	一般乗合旅客自動車運送業 ／ 一般乗用旅客自動車運送業 ／ 一般貸切旅客自動車運送業
44　道路貨物運送業	一般貨物自動車運送業 ／ 特定貨物自動車運送業 ／ 貨物軽自動車運送業 ／ 集配利用運送業
45　水運業	外航海運業 ／ 沿海海運業 ／ 内陸水運業 ／ 船舶貸渡業
47　倉庫業	倉庫業 ／ 冷蔵倉庫業
48　運輸に附帯するサービス業	港湾運送業 ／ 貨物運送取扱業 ／ 運送代理店 ／ こん包業 ／ 運輸施設提供業
4*　航空運輸業, 郵便業(信書便事業を含む)	航空運送業 ／ 航空機使用業 ／ 郵便業(信書便事業を含む)
K　不動産業, 物品賃貸業	
68　不動産取引業	建物売買業, 土地売買業 ／ 不動産代理業・仲介業
69　不動産賃貸業・管理業	不動産賃貸業 ／ 貸家業, 貸間業 ／ 駐車場業 ／ 不動産管理業
70　物品賃貸業	各種物品賃貸業 ／ 産業用機械器具賃貸業 ／ 事務用機械器具賃貸業 ／ 自動車賃貸業 ／ スポーツ・娯楽用品賃貸業
L　学術研究, 専門・技術サービス業　1)	
72　専門サービス業(他に分類されないもの) 2)	法律事務所, 特許事務所 ／ 公証人役場, 司法書士事務所, 土地家屋調査士事務所 ／ 行政書士事務所 ／ 公認会計士事務所, 税理士事務所 ／ 社会保険労務士事務所 ／ デザイン業 ／ 著述・芸術家業 ／ 経営コンサルタント業
73　広告業	広告業
74　技術サービス業(他に分類されないもの)	獣医業 ／ 土木建築サービス業 ／ 機械設計業 ／ 商品・非破壊検査業 ／ 計量証明業 ／ 写真業
M　宿泊業, 飲食サービス業	
75　宿泊業	旅館, ホテル ／ 簡易宿所 ／ 下宿業
76　飲食店	食堂, レストラン ／ 専門料理店 ／ そば・うどん店 ／ すし店 ／ 酒場, ビヤホール ／ バー, キャバレー, ナイトクラブ ／ 喫茶店
77　持ち帰り・配達飲食サービス業	持ち帰り飲食サービス業 ／ 配達飲食サービス業
N　生活関連サービス業, 娯楽業	
78　洗濯・理容・美容・浴場業	洗濯業 ／ 理容業 ／ 美容業 ／ 一般公衆浴場業
79　その他の生活関連サービス業　3)	旅行業 ／ 衣服裁縫修理業 ／ 物品預り業 ／ 火葬・墓地管理業 ／ 冠婚葬祭業
80　娯楽業	映画館 ／ 興行場, 興行団 ／ 競輪・競馬等の競走場, 競技団 ／ スポーツ施設提供業 ／ 公園, 遊園地 ／ 遊戯場
O　教育, 学習支援業　4)	
82　その他の教育, 学習支援業	
82a　社会教育, 職業・教育支援施設	社会教育 ／ 職業・教育支援施設
82b　学習塾, 教養・技能教授業	学習塾 ／ 教養・技能教授業
P　医療, 福祉	
83　医療業	病院 ／ 一般診療所 ／ 歯科診療所 ／ 助産・看護業 ／ 療術業
84　保健衛生　5)	健康相談施設
85　社会保険・社会福祉・介護事業　6)	児童福祉事業 ／ 老人福祉・介護事業 ／ 障害者福祉事業
R　サービス業(他に分類されないもの)　7)	
88　廃棄物処理業	一般廃棄物処理業 ／ 産業廃棄物処理業
89　自動車整備業	自動車整備業
90　機械等修理業(別掲を除く)	機械修理業 ／ 電気機械器具修理業 ／ 表具業
91　職業紹介・労働者派遣業	職業紹介業 ／ 労働者派遣業
92　その他の事業サービス業	速記・ワープロ入力・複写業 ／ 建物サービス業 ／ 警備業
95　その他のサービス業	集会場 ／ と畜場

注1)「学術・開発研究機関」を除く。
注2)「純粋持株会社」を除く。
注3)「家事サービス業」を除く。
注4)「学校教育」を除く。
注5)「保健所」を除く。
注6)「社会保険事業団体」及び「福祉事務所」を除く。
注7)「政治・経済・文化団体」,「宗教」及び「外国公務」を除く。

付録8　サービス統計の国際比較

主要国の売上高等の前年比（2019年）

単位：％

日本（売上高）

産業	前年比
情報通信業	1.8
運輸業、郵便業	1.5
金融業、保険業	2.5
不動産業、物品賃貸業	
学術研究、専門・技術サービス業	2.2
宿泊業、飲食サービス業	0.0
生活関連サービス業、娯楽業	-2.9
教育、学習支援業	1.2
医療、福祉	0.9
サービス業（他に分類されないもの）	0.4

アメリカ（営業収益）

産業	前年比
電気・ガス・水道	0.5
情報サービス業	5.0
運輸業、倉庫業	4.7
金融業、保険業	5.3
不動産業、物品賃貸業	6.1
専門・科学・技術サービス業	5.3
芸術・娯楽業	5.4
教育、学習支援業	4.7
医療、福祉	5.5
事業サービス、廃棄物管理・浄化活動	6.5
他のサービス（公的サービスを除く）	5.7

カナダ（経常収入）

産業	前年比
ソフトウェア制作業	18.7
データ処理、ホスティング及び関連業	22.0
コンピュータシステム開発及び関連業	12.4
不動産賃貸業・管理業	4.8
不動産仲介業	4.7
不動産鑑定士	1.3
自動車用品賃貸業	6.2
産業機械器具賃貸業	2.2
個人・家庭用品賃貸業	5.9
会計サービス業	5.2
コンサルティング業	5.3
広告業	3.1
建築サービス業	2.4
測量業	2.1
エンジニアリングサービス業	12.6
宿泊業	4.7
飲食業	4.4
旅行会社	6.4
ツアーオペレーター	3.9
その他の旅行関連業	4.7
観戦スポーツ	8.7
興行場・興行団	3.6
芸術家・スポーツ選手・芸人等の芸術所・マネージャー	13.6
無所属の芸術家・作家・役者	8.1
遊園地・ゲームセンター	8.3
その他の娯楽業	5.3
自動車修理・整備業	5.9
電気・産業機械器具修理・整備業	2.1
労働者派遣業	8.1

イギリス（売上高）

産業	前年比
情報通信業	4.6
運輸業、倉庫業	4.0
卸売業、小売業、自動車整備業	2.2
不動産業	3.7
物品賃貸業	2.7
専門・科学・技術サービス業	4.2
宿泊業、飲食サービス業	4.4
旅行業	-0.2
芸術・娯楽業	-5.0
教育	2.5
保健衛生・社会事業	2.8
職業紹介・労働者派遣業	7.0
警備・調査業	9.1
建物・景観サービス業	4.5
事業者向けサービス業	-1.4
その他のサービス業	0.6

韓国（売上高、数量指数）

産業	前年比
情報通信業	3.5
運輸業	0.0
卸売業、小売業	-0.4
金融業、保険業	1.7
不動産業	0.4
専門・科学・技術サービス業	1.4
宿泊業、飲食サービス業	-1.0
修理業、他の個人サービス業	-1.5
芸術・スポーツ・娯楽業	1.2
教育	-0.5
保健衛生・社会事業	8.1
下水処理、廃棄物処理、材料再生、浄化活動	-0.4
事業施設管理・事業サービス業・物品賃貸業	2.3

資料：総務省統計局、アメリカ商務省センサス局、カナダ統計局、イギリス国家統計局、韓国統計庁
(注1) 各国の産業分類名は仮称。
(注2) 計数は2021年6月現在
(注3) 空欄の枠は、該当する産業の結果がないことを表す。また、カナダについては、業種を枠内に掲載している。
(注4) アメリカ、カナダ及びイギリスの前年比は、統計局が公表している売上高等を用いて算出している。
(注5) アメリカの「運輸業、倉庫業」の前年比は、統計局において、内訳となる下位産業の売上高を合計した上で算出している。

2021年6月現在

主要国のサービス統計の概要

	日本	アメリカ（四半期サービス産業調査）	アメリカ（年次サービス産業調査）	カナダ	イギリス（月次ビジネス調査）	イギリス（年次ビジネス調査）	韓国	中国
調査名	サービス産業動向調査	四半期サービス産業調査	年次サービス産業調査	年次サービス産業調査	月次ビジネス調査	年次ビジネス調査	月次サービス産業調査	年次サービス産業調査
作成機関	総務省統計局	センサス局		統計局	国家統計局		統計庁	
調査周期	月	四半期	年	年（一部の業種は隔年）	月	年	月	年（経済センサス実施年を除く）
調査方法	郵送、オンライン	郵送、FAX、オンライン、電話	郵送、オンライン	オンライン、郵送、電話、その他の電子媒体	電話、郵送	郵送	調査員、CASI※、オンライン、電話、FAX	
回答義務	なし	なし	あり	あり	あり	あり	あり	あり
調査対象数	3.8万事業所・企業等	2.0万企業	7.8万企業	2.2万企業・事業所	3.4万企業	7.3万企業	1.0万事業所	8.0万事業所
調査の母集団	経済センサス‐基礎調査	ビジネスレジスター		ビジネスレジスター	ビジネスレジスター		経済センサス	
調査対象産業（全産業共通事項）	以下の業種を除くサービス産業／卸売・小売業、金融・保険業、政治・経済・文化団体、学校教育、開発研究機関、宗教等	卸売業、小売業、マネジメント業、飲食店、鉄道業、郵便業を除くサービス産業	卸売業、小売業、マネジメント業を除くサービス産業	以下の業種を除くサービス産業／運輸業、放送業、法律サービス業、学術研究機関、ビジネス支援業、警備業、廃棄物処理業、教育、医療・福祉、政治・経済団体	以下の業種を除くサービス産業と製造業／公営病院、賭博施設、芸術・娯楽施設、不動産業、初等・中等教育等	以下の業種を除く全産業／農業の一部、金融・保険業、公務、国防、公営病院、歯科医院、院外の医療、公教育機関	公共行政を除く全サービス産業	以下の業種を除く全サービス産業／卸売り、小売り、運輸業、宿泊、飲食サービス、金融業、保険業
公的部門の扱い	調査対象	病院、カジノのみ調査対象		調査対象外	調査対象外	調査対象	調査対象外	
調査事項（全業種共通事項）	売上高、事業従事者数	収入総額及びその内訳、支出総額及びその内訳別内訳、電子商取引の売上高	収入、支出、利益総額	収入、支出、利益総額	売上高、輸出売上高、注文高、輸出注文高、雇用者数（四半期ごと）	収入、支出、国際貿易、研究開発規模等（業種による）、企業規模（業種による）	売上高及びその変動理由、事業従事者数、月間営業日数	売上高、事業従事者数、月間営業日数
調査票の種類	4種類（事業所・企業等別1か月目とそれ以外）	18種類（業種等による）	182種類（業種による）	41種類（業種による）	20種類以上（業種、月次・四半期別）	47種類（業種、企業規模による）	4種類（業種による）	4種類（業種による）
結果公表時期	翌々月末（速報）	2か月後の中旬（速報）		調査年度の終了から13か月以内／参照期間翌年の4月から10月	翌々月中旬	翌年の11月（速報）	翌月末	実施年の12月末（速報）
利活用	・GDPの四半期別速報（QE）	・国民経済計算・産業連関表の作成／・連邦準備銀行及び経済諮問委員会における経済動向把握／・保健福祉省内における医療支出の動向分析		・全国及び州別の各産業の経済規模を示す公的指標	・国民経済計算、生産指標、サービス指標の作成／・イングランド銀行及びイギリス財務省の経済見通し、政策決定等		・自治体における政策立案及び政策評価	・国民経済計算の推計

（※）CASI：「コンピュータ支援型自記式調査」（Computer Assisted Self-administered Interview）の略称。
回答者が、調査主体によりあらかじめ用意されたコンピュータ等の電子端末に対して、自ら回答を入力する調査方式を指す。

Appendix 1

History of "the Monthly Survey on Service Industries"

In Japan, the service industries (tertiary industry) make up over 70% of the total GDP, and employ over 70% of the persons engaged in all industries. In order to accurately monitor the status of the service industries, a proper infrastructure for obtaining statistical data is required.

However, when it comes to statistical information, the data has been managed inconsistently from sub-sector to sub-sector.

This made the entire picture of the service industries unclear and hard to grasp it accurately. It not only made it difficult to use the data for the purpose of industrial statistics, but also restricted the use for GDP related statistics and inter-industry relations table. There was thus a strong demand for improvement of the statistical infrastructure. Especially for Quarterly Estimates (QE) of GDP basic statistics, there is an increasing demand to change the monthly statistical report, where data is limited to only certain sub-sectors, to one where the entire picture of the service industries can be observed statistically.

Because of these demands, in July 2008, Statistics Bureau of Japan established "the Monthly Survey on Service Industries" based on governmental policy regarding the development of the statistical infrastructure stated in "Basic Policies for Economic and Fiscal Management and Structural Reform 2006" (Cabinet Decision made on July 7, 2006).

In 2013, "An annual survey (expanded survey)" was launched to grasp the situation of service industries by detailed industrial classification or by region, mainly in response to the "Master Plan Concerning the Development of Official Statistics" (Cabinet Decision made on March 13, 2009) in which the importance of further developing the collection of statistical data on service business activities was stressed.

The annual survey (expanded survey) continued until the completion of survey in 2018 and has been integrated into "The Economic Conditions Survey" from a perspective of promoting systematic development in economic statistics, according to "Master Plan Concerning the Development of Official Statistics" (Cabinet Decision made on March 6, 2018).

The result of the Monthly Survey on Service Industry is currently utilized as basic data for estimating GDP and it is expected to be employed in a wider range of fields in the future.

Overview of Committee and Governmental Decisions and Activities regarding "the Monthly Survey on Service Industries"

Toward the Structural Reform of Government Statistics

(Report published on June 10, 2005 by the Economic and Social Statistics Development Promotion Committee, Cabinet Office)

- "In order to improve the accuracy of economic indices, including quarterly estimates, developing dynamic statistics that provide monthly data on production and employment in service industries where dynamic statistics are not fully developed."
- "Once appropriate population registers have been compiled by the Economic Census (tentative title), structural statistics need to be developed that will provide a wide range of information on service industries obtained from sample surveys designed to analyze the structural aspects of service industries and improve the accuracy of GDP-related statistics and input-output tables."

Basic Policies for Economic and Fiscal Management and Structural Reform

(Cabinet Decision made on July 7, 2006)

- "Implement activities for the fundamental expansion of statistics on service industries including the establishment in FY2008 of statistics for grasping on a monthly basis the general situation of production, employment, etc. of the overall services industry."

 Establishment of "the Monthly Survey on Service Industries" (July, 2008)

Master Plan Concerning the Development of Official Statistics(Cabinet Decision made on March 13, 2009)

- "Although there has been steady progress in the development of statistics related to service activities as described above, further promotion is necessary in the future."

Basic Views Regarding the Immediate Challenges and Countermeasures for the Development of Official Statistics

(Statistics Commission, June 18, 2010)

- "Since July 2008, "the Monthly Survey on Service Industries" which collects broad-based data on the service industries such as sales has been conducted on a monthly basis. In addition, it is expected that exhaustive understanding of economic activities including the service industries will be obtained also by implementing the Economic Census which is a periodic survey. In addition to implementing these statistics development activities steadily, further efforts are required for the development of the service industries-related statistics such as activities regarding areas for which data collection for structural understanding on a yearly basis has not been developed yet."

 Review of "the Monthly Survey on Service Industries" (January, 2013)

- A new survey method for enterprises, etc. with a capital of 100 million yen and above was included to the survey. Annual sales and the number of workers of a whole enterprise, etc. are surveyed by business activity in the reviewed survey.
- An annual survey (expanded survey), which covers approx. 40,000 additional establishments as well as the coverage of the monthly survey, was established in 2013. The annual sales by prefectures are surveyed in the survey.

Master Plan Concerning the Development of Official Statistics(Cabinet Decision made on March 6, 2018)

- "Regarding the Economic Structure Statistics in interim years of the Economic Census for Business Activity, relevant ministries shall rearrange relevant Fundamental Statistical Surveys and newly comprehend and provide the actual situation in the interim years including changes in the structure from a benchmark year, in addition to the conventional objectives and roles to develop and provide population information in Economic Structure Statistics. "

 Establishment of "the Economic Conditions Survey" (2019)

- An annual survey (expanded survey) was ended in 2018 survey and merged into the Economic Conditions Survey.

Figure
Changes of Industrial Structure

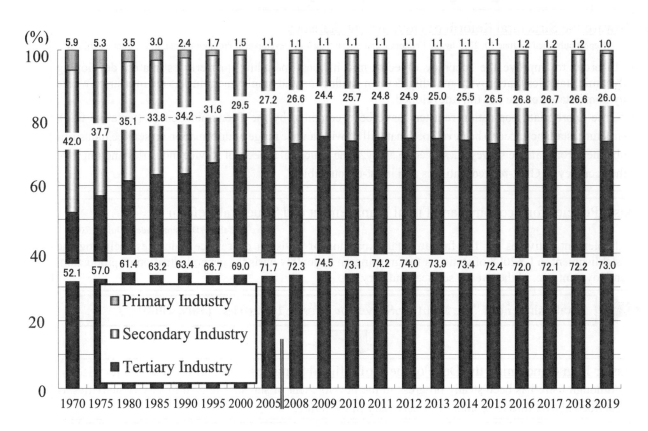

Source: Annual Report on National Accounts for 2019 (Economic and Social Research Institute, Cabinet Office)
     Based on 68SNA until 1975, 93SNA from 1980 to 1990, 08SNA since 1995.

Table
Coverage Rate of "the Monthly Survey on Service Industries"

	All industries	Tertiary industry	Industry Coverage of "the Monthly Servey on Service Industries"	Source
Number of Establishments	100.0%	81.7%	50.4%	2014 Economic Census for Business Frame (Ministry of Internal Affairs and Communications)
Number of Persons Engaged	100.0%	78.4%	47.2%	2014 Economic Census for Business Frame (Ministry of Internal Affairs and Communications)
GDP	100.0%	73.0%	48.2%	Annual Report on National Accounts for 2019 (Cabinet Office)

Appendix 2

Outline of "the Monthly Survey on Service Industries"

1 Survey Objective

The main aim of the survey is to provide the best possible estimates of sales and persons working at the location of establishment for the service industries and subsequently to enhance the accuracy of economic indicators such as Quarterly Estimates (QE) of GDP.

2 Legal Basis

This survey has been conducted as the general statistical survey pursuant to the provision of the Statistics Act (Act No.53 of 2007).

3 Establishments and Enterprises, etc. Surveyed

The population of the survey is based on the 2014 Economic Census for Business Frame. Establishments and enterprises, etc. surveyed are selected using a statistical method[*1] from establishments and enterprises, etc. throughout the country mainly engaging in the service sector[*2]. About 38,000 establishments and enterprises, etc. are surveyed.

   *1   Refer to Appendix 3 for details on the selection method.
   *2   Refer to Appendix 6 for details on sub-sectors covered by this survey.

4 Types of Questionnaires and Survey Items

(1) Types of Questionnaires

   "Questionnaire for the first month" is used at the beginning of the survey while the "Monthly questionnaire" is used from the second month and onward. Both questionnaires have two types: one for establishments and another for enterprises, etc.

(2) Survey Items

   Questionnaire items are presented in the table shown below.

		Monthly sales	Categories of main business of establishments	Number of persons working at the location of establishment and breakdowns
For establishments	Questionnaire for the first month	o (*)	o	o (*)
	Monthly questionnaire	o	-	o
For enterprises, etc.	Questionnaire for the first month	o(*) (By business activity)	-	o (*)
	Monthly questionnaire	o (By business activity)	-	o

*Each survey item of survey month and the previous month is surveyed.

Note: Survey item "Demand situation" was deleted since January 2017.

5   Implementation of the Survey

The Statistics Bureau of Japan (SBJ) entrusts the implementation of the survey to research companies. Questionnaires are distributed and collected by mail or online.

However, for establishments for which questionnaires have yet to be collected, the enumerators can directly visit the surveyed establishment and collect questionnaires.

<About burden reduction measures>

In order to reduce the burden on respondents, if the surveyed business establishments or enterprises, etc. of this survey overlap with the statistical survey* conducted by the Ministry of Economy, Trade and Industry, we do not distribute the questionnaire of our surveys. Instead, we receive the questionnaire information obtained from the survey conducted by the METI.

*"Survey of Selected Service Industries"

6   Tabulation of the Survey

The SBJ entrusts the tabulation to the National Statistics Center.

7   Release of the Survey Results

The results are shown on the SBJ website and laid open for public inspection.

　　　・Preliminary report: In principle, released in late the second month after the survey month.

　　　・Final report: In principle, released in late the fifth month after the survey month.

Appendix 3
Sampling Method, Estimation Method of Results
and Sampling Error of the Estimates

1 Sampling Method

Using statistical methods, "the Monthly Survey on Service Industries" takes samples from establishments and enterprises, etc. throughout the country that existed at the time of the 2014 Economic Census for Business Frame engaging mainly in the industries listed in (1) below. Sample sizes are as follows.

Establishments; Approximately 25,000

Enterprises, etc.; Approximately 13,000

Note: The population of the survey was changed from the 2009 Economic Census for Business Frame to the 2014 Economic Census for Business Frame since 2017 in the survey. Establishments, enterprises, etc. are extracted based on the 2014 Economic Census for Business Frame. Establishments and enterprises, etc. newly established after the implementation of the 2014 Economic Census for Business Frame are also added to the population to implement appropriate sampling, based on various information collected in the subsequent years. When an establishment closes down, a replacement establishment is selected and added to the subjects of the survey.

Difficult-to-Return or Restricted Habitation Areas that the Director-General of the Nuclear Emergency Response Headquarters (NERH) has set as of April 2014, in accordance with the provision of Article 20-2 of the Act on Special Measures Concerning Nuclear Emergency Preparedness (Act No.156 of 1999) concerning the Great East Japan Earthquake, are excluded from the results of the survey, since these areas were not included in the 2014 Economic Census for Business Frame.

(1) Coverage of the Survey (Refer to Appendix 6)

The survey covers industries classified in divisions designated by the Japan Standard Industrial Classification (Rev.13, October 2013) as shown below (except for the group "Establishments engaged in administrative or ancillary economic activities" set for each major group).

- G Information and communications
- H Transport and postal activities
- K Real estate and goods rental and leasing
- L Scientific research, professional and technical services
  *Excluding the major group "71 Scientific and development research institutes" and the industry "7282 Pure holding companies"
- M Accommodations, eating and drinking services
- N Living-related and personal services and amusement services

  *Excluding the group "792 Domestic services"
- O Education, learning support

  *Excluding the major group "81 School education"
- P Medical, health care and welfare
  *Excluding the group "841 Public health centers", "851 Social insurance organizations" and "852 Welfare offices"
- R Services, n.e.c.
  * Excluding the major group "93 Political, business and cultural organizations", "94 Religion" and "96 Foreign governments and international agencies in Japan"

(2) Sampling and Sample Rotation

    A. Enterprises, etc. (census group)

      (a)   The survey is conducted on all enterprises, etc. mainly engaging in the following industries.

          (i) Group "371 Fixed telecommunications"

          (ii) Group "372 Mobile telecommunications"

          (iii) Group "381 Public broadcasting except cablecasting"

          (iv) Major group "42 Railway transport"

          (v) Major group "46 Air transport"

          (vi) Major group "49 Postal activities including mail delivery service"

      (b)   The survey is conducted on all enterprises mainly engaging in the service industries other than those in (a) above, with capital, investment, or funds worth 100 million yen or more.

      (c)   The survey is conducted on a continuing basis without being replaced.

    B. Establishments (census or sample survey group)

    Establishments are extracted from those mainly engaging in service industries other than those in A.(a) above, excluding establishments that belong to the enterprises, etc. falling under the A.(a) and (b) above.

      (a)   The Census is conducted continuously for establishments over a certain scale.

      (b)   The sample survey is conducted for establishments other than (a) above. In principle, the survey continues for two years.

2   Estimation Method of Results

    The results of the Monthly Survey are aggregated by adding the estimates of enterprises etc. and establishments. These estimates are calculated after complementing missing values and correcting inconsistencies in answers by using the Economic Census and other public information of survey objects.

    The sales and the number of persons working at the location of establishment (hereinafter called "the number of persons") are calculated based on the results of the 2014 Economic Census for Business Frame, etc. The formula is as follows:

Estimate of total sales or estimate of the number of persons: $\hat{T}_x = \sum_{h=1}^{L} W_h \sum_{i=1}^{n_h} x_{hi}$

    h :   Strata by industry, size of the number of persons and type of survey (census or sample)

    W_h: Weight, $\dfrac{N_h}{n_h}$ $\left(N_h = n_h \text{ and } W_h = 1 \text{ for census survey} \right)$

    L :   Number of strata

    N_h: Number of population establishments in h-th stratum

    n_h: Number of survey establishments in h-th stratum

    X_{hi}:   Sales or the number of persons for i-th establishment in h-th stratum

3 Sampling Error of the Estimates

Sampling errors for total sales are estimated by the following formula. The results can be seen in the table.

The standard error rate (%):

$$\hat{\sigma}_{T_x} \ / \ \hat{T}_x \ \times 100$$

Standard error of total sales:

$$\hat{\sigma}_{T_x} = \sqrt{\sum_{h=1}^{L} N_h (N_h - n_h) \frac{s_h^2}{n_h}}$$

Sampling variance for sales in h-th stratum:

$$s_h^2 = \frac{1}{n_h - 1} \sum_{i=1}^{n_h} (x_{hi} - \bar{X}_h)^2$$

Mean of sales in h-th stratum:

$$\bar{X}_h = \frac{1}{n_h} \sum_{i=1}^{n_h} x_{hi}$$

Table Sampling Error for Monthly Sales of the Estimates by Industry

(%)

Industry (medium groups)	Jan.	Feb.	Mar.	Apr.	May	Jun.	Jul.	Aug.	Sep.	Oct.	Nov.	Dec.
						2020						
Service industry	1.2	1.2	1.4	1.1	1.2	1.2	1.2	1.3	1.2	1.2	1.2	1.1
G Information and communications	1.3	0.8	1.7	1.2	0.8	1.8	1.6	2.2	1.8	0.9	1.3	1.9
37 Communications	0.2	0.2	0.2	0.1	0.1	0.2	0.2	0.2	0.2	0.2	0.2	0.2
38 Broadcasting	0.2	0.2	0.3	1.4	0.3	0.2	0.3	0.2	0.3	0.2	0.3	0.2
39 Information services	2.9	1.6	3.1	2.4	1.8	3.6	3.7	5.2	3.4	2.0	3.1	3.9
40 Internet based services	2.2	2.3	2.8	8.3	2.7	2.6	2.9	2.6	2.4	2.4	2.4	2.4
41 Video picture, sound information, character information production and distribution	2.8	3.0	2.7	3.4	2.7	3.0	2.6	3.1	2.6	2.7	3.3	3.3
H Transport and postal activities	4.8	4.6	6.7	4.4	5.7	5.1	5.3	5.6	5.0	5.0	5.0	4.8
42 Railway transport	–	–	–	–	–	–	–	–	–	–	–	–
43 Road passenger transport	3.9	4.1	3.9	3.4	4.5	4.0	4.3	4.2	4.1	4.4	4.4	4.4
44 Road freight transport	7.8	7.6	7.5	8.4	9.4	9.1	8.8	9.3	8.3	8.1	7.6	7.9
45 Water transport	6.5	6.5	6.2	6.0	6.4	6.3	6.6	7.0	6.9	7.2	7.2	7.2
47 Warehousing	7.3	8.0	6.8	7.1	7.0	7.1	7.0	7.0	6.9	6.9	6.8	6.6
48 Services incidental to transport	15.9	14.5	19.4	3.6	13.5	11.1	14.3	15.4	13.4	13.9	14.9	13.1
4* Air transport, postal activities, including mail delivery	–	–	–	–	–	–	–	–	–	–	–	–
K Real estate and goods rental and leasing	3.2	3.7	4.2	3.7	3.8	4.0	3.5	3.7	3.7	3.9	3.4	3.1
68 Real estate agencies	4.8	8.8	8.1	7.5	8.9	9.2	7.4	5.7	6.8	10.9	5.3	5.2
69 Real estate lessors and managers	4.8	4.7	5.7	5.4	4.9	5.2	5.1	5.9	5.7	4.9	5.1	5.0
70 Goods rental and leasing	6.4	6.8	6.6	6.9	7.2	7.1	6.6	6.7	6.8	6.3	6.7	6.1
L Scientific research, professional and technical services 1)	3.4	3.4	2.6	3.4	3.7	3.0	3.4	3.5	3.0	3.2	3.3	2.9
72 Professional services, n.e.c. 2)	8.7	8.1	6.5	7.9	8.7	7.9	8.5	9.0	8.1	8.2	8.2	8.1
73 Advertising	2.6	2.5	3.3	4.3	4.3	4.1	4.4	3.1	2.8	3.1	3.8	2.5
74 Technical services, n.e.c.	5.2	5.1	3.7	4.9	4.4	3.1	3.7	4.2	3.9	3.9	4.7	3.6
M Accommodations, eating and drinking services	1.5	1.5	1.5	2.3	1.9	2.0	2.1	2.4	2.2	2.2	2.1	2.5
75 Accommodations	4.5	4.4	5.2	5.4	6.3	5.9	6.6	8.4	7.9	7.2	5.9	5.9
76 Eating and drinking places	1.5	1.5	1.7	2.2	2.2	2.3	2.2	2.3	2.1	2.1	2.1	3.0
77 Food take out and delivery services	7.0	7.2	4.7	8.1	4.7	5.8	7.6	7.6	7.5	7.4	7.3	7.1
N Living-related and personal services and amusement services	4.1	3.8	4.0	2.6	2.3	3.7	4.0	3.9	3.8	3.6	3.4	3.4
78 Laundry, beauty and bath services	3.9	3.8	4.1	4.0	3.8	3.7	3.7	3.8	3.8	3.7	3.8	3.7
79 Miscellaneous living-related and personal services 3)	3.9	3.8	5.1	8.7	7.3	6.4	6.3	6.2	6.0	5.4	5.2	6.0
80 Services for amusement and hobbies	5.8	5.6	5.5	3.1	3.0	5.0	5.3	5.1	5.1	5.0	4.7	4.6
O Education, learning support 4)	3.6	4.5	4.6	5.3	5.3	4.5	3.7	3.8	4.0	4.3	4.2	4.2
82 Miscellaneous education, learning support	3.6	4.5	4.6	5.3	5.3	4.5	3.7	3.8	4.0	4.3	4.2	4.2
82a Social education and vocational and educational support facilities	12.0	12.4	13.7	17.6	19.7	17.6	12.3	11.5	13.2	13.2	15.2	18.6
82b Supplementary tutorial schools and instruction service for arts, culture and technicals	3.9	4.3	4.3	6.3	5.5	4.2	4.3	4.0	4.4	4.5	4.5	4.0
P Medical, health care and welfare	1.2	1.2	1.2	1.2	1.2	1.2	1.2	1.2	1.2	1.2	1.2	1.2
83 Medical and other health services	1.3	1.3	1.3	1.3	1.4	1.3	1.3	1.3	1.3	1.3	1.3	1.3
84 Public health and hygiene 5)	11.2	12.0	25.0	15.2	16.0	15.5	13.5	13.5	13.7	13.2	14.5	12.8
85 Social insurance and social welfare 6)	2.7	2.7	2.9	2.8	2.7	2.7	2.7	2.7	2.8	2.7	2.7	2.9
R Services, n.e.c. 7)	3.1	3.2	3.2	3.2	3.1	3.0	2.9	2.9	3.0	3.0	3.0	3.0
88 Waste disposal business	5.7	5.7	5.5	5.6	5.7	5.3	5.3	5.2	5.5	5.3	5.4	5.3
89 Automobile maintenance services	7.8	8.1	8.6	8.0	8.5	8.1	8.1	8.1	9.4	7.9	8.7	8.1
90 Machine, etc. repair services, except otherwise classified	5.0	11.0	11.2	5.6	5.6	5.7	6.2	6.9	5.1	5.4	6.0	5.1
91 Employment and worker dispatching services	10.7	10.9	10.9	11.0	10.7	10.7	10.2	10.2	10.5	10.3	10.5	10.7
92 Miscellaneous business services	4.2	3.9	4.1	4.2	4.2	3.8	3.8	3.8	4.1	4.1	4.2	4.0
95 Miscellaneous services	6.2	6.1	6.6	23.3	6.7	6.6	5.9	6.6	5.9	5.7	6.4	5.7

1) Excluding "scientific and development research institutes" 2) Excluding "pure holding companies" 3) Excluding "domestic services" 4) Excluding "school education" 5) Excluding "public health centers"
6) Excluding "social insurance organizations" and "welfare offices" 7) Excluding "political, business and cultural organizations", "religion" and "foreign governments and international agencies in Japan"

Appendix 4
Explanation of Terms

1 Establishments

An "establishment" is defined as a single physical location where an economic activity is conducted and as a general rule, the following prerequisites are satisfied:

- Economic activity is conducted, under a single business principal, occupying a certain place or plot of land.
- Production or supply of goods and services is conducted continuously with personnel and facilities provided for this purpose.

2 Enterprises, etc.

An "enterprise" is defined as a corporation (excluding foreign companies) conducting business activities or an establishment of individual proprietorship (if the enterprise is managed under individual proprietorship and the same manager manages multiple establishments, the establishments become collectively a single enterprise).

"Enterprise, etc." refers to those entities, including a part of public enterprises, etc. operated by an enterprise, the national government or a local government.

3 Sales

Refers to sales for supply of services and sales of article (including indirect tax, consumption tax, etc.) in the establishment or enterprise, etc. The sales is defined as total income from all operations of the establishment or enterprise, etc. including costs such as purchase amount and salaries.

[Those included in sales]

- Consignment sale --- Sales commission income
- Consignment sale --- Actual sales amount sold by a consignee
- Real estate agents/intermediary service providers --- Agent fee income, intermediary commission income, etc.
- Brokerage service provider --- Brokerage commission income (e.g. commission for cleaning or for photo development, printing or enlargement)
- Own consumption/donations --- When consuming goods or products on one's own or donating them, the amount obtained by converting them into money
- Medical and other health services/care services --- Insurance premiums received for medical insurance/nursing care insurance, and self-pay of the user
- "Corporations excluding companies" and "Organization other than corporations" --- Income gained by business activities

[Those not included in sales]

- Nonbusiness interest and dividend income, such as those accrued from deposits and securities
- Nonbusiness income gained from the sale of securities or properties such as land and buildings
- Borrowing and balance brought forward
- Expenses provided from headquarters and head offices for operating branch offices
- Income to continue a business or activity

  (operating grants, donations, contributions, subsidies, membership fees, contributions of members, etc.)

[Time of posting sales]

- For sales, those at the time of providing services, etc. are posted, rather than at the time of receiving payments.

  Examples:
  - o For installment sale, sales are posted at the time of providing services, etc.
  - o In case of supplementary tutorial schools, etc. tuitions for three months are received in a lump sum, they are divided and posted equally at each month of the period (three months) of giving classes.
  - o For a long-term project for software development, etc., they are posted depending on the status of progress.
- Sales are posted for one month from the beginning to the end of the month.

4 Persons Working at the Location of Establishment

Persons working at the location of establishment include all persons who are engaged in the business of the establishment or enterprise, etc. on the business day nearest the end of the month (excluding dispatched or temporarily transferred employees to other enterprises, but including those who work as dispatched or temporarily transferred employees from other enterprises).

Salaried directors

Those who receive a salary as an executive at a corporation or an organization other than an individual proprietorship.

Individual proprietors

Business owners of individual proprietorships. An establishment of an individual proprietorship must have only one individual proprietor.

Unpaid family workers

Those who are members of the family of an individual proprietors and help with the establishment's work but receive no wages or salaries.

Regular employees

Those who have been employed indefinitely or those who have been employed for more than one month.

Full-time employees

Those who are generally called fulltime regular employees and staff.

Other than full-time employees

Those who are generally called contract employees, entrusted employees, part time workers, temporary staff or so on.

Non-regular workers

Those who have been employed for a limited period of one month or less or employed on a day-to-day basis.

Persons Temporarily Transferred or Dispatched from Separately-managed Establishment or Enterprise, etc.

Those who come from other enterprises, etc. and work at an establishment or enterprise, etc. while remaining members of the transferring company, including cases of temporary transfer with enrollment in the transferring company, in addition to dispatched workers set forth in the Act for Securing the Proper Operation of Worker Dispatching Undertakings and Improved Working Conditions for Dispatched Workers (Act No. 88 of 1985).

5   Industry of Business Activity

Refers to an industry classification by unit of business activities conducted by an establishment and enterprise, etc. In enterprises, they are classified by each individual business activity In establishment, they are deemed to conduct only a single business activity, and classified by major business activities of their own.

6   Industry of Establishment and Enterprises, etc.

Refers to an industry classification by unit of establishment and enterprises, etc., where establishments are classified according to business activities of the establishment, and enterprises, etc. are classified according to the entire major business activities including establishments under control of the enterprises, etc.

7   Type of Legal Organization

Individual proprietorships

Refer to businesses run by individuals. Partnerships are also included in this category, unless they are a company or corporation.

Corporations

Refer to businesses managed by entities granted with corporate status based on legal provisions. The following companies and corporations other than companies fall under this category.

Companies

Refer to stock companies, general partnership companies, limited partnership companies, limited liability companies, mutual companies and foreign companies.

Foreign companies are main branch offices or sales offices of companies which have been established in a foreign country, and which have been registered in Japan under the provisions of the Companies Act (Act No.86 of 2005). Companies managed by foreigners, or companies for which foreign capitals participate in their management, are not regarded as foreign companies.

Corporations other than companies

Refer to organizations with corporate status other than the status of a company, and to central and local governments. This category includes incorporated administrative agencies, local incorporated administrative agencies, national university corporations, inter-university research institute corporations, special corporations, approved corporations, incorporated foundations, incorporated associations, social welfare juridical persons, medical juridical persons, juridical persons for offender rehabilitation, national health insurance societies, mutual aid associations, legal professional corporations, auditing firms, licensed tax accountant's corporations, etc.

Organizations other than corporations

Refers to organizations without corporate status.

Included in this category are establishments of councils, etc.

8 Capital

Refers to the amount of capital of stock companies, the amount of investment of general partnership companies, limited partnership companies and limited liability companies, or the amount of funds of mutual companies.

Appendix 5

Form of Questionnaire

1 Monthly Survey on Service Industries Questionnaire for the first month (for establishments)

2 Monthly Survey on Service Industries Questionnaire for the first month (for enterprises, etc.)

General Statistical Survey

Monthly Survey on Service Industries Questionnaire for the first month (for enterprises, etc.)

Statistics Bureau, Ministry of Internal Affairs and Communications

Year 2 0 Month

Please fill in as it may be necessary to contact you.

Department

The name of the person who filled in the questionnaire

Telephone ( ) – (Extension:)

Please fill in for the preprinted month and the previous month.

Make entries (including tax in principle. If it is difficult to do so for accounting purpose, make entries excluding tax) and enter a check mark in the box.

1. Monthly sales (income), etc. of your company (organization, etc.)

1.(1) Details of business activities
* For business activities which you decided not to implement from this month, use double lines to strike through the name of the business activities, and enter the situation on the remarks ② column by business activity.

1.(2) Sales (income)
* Round amounts to the nearest 1,000.
* If no sales are posted temporarily, fill '0' in the sales column and enter the reason thereof in the remarks ② column.

[Remarks ①]
If the monthly sales increased or decreased significantly compared with the same month a year earlier, enter the specific reason. If you cannot compare with the same month a year earlier, please enter the comparison with the previous month.

[Remarks ②] If any major changes have occurred with regard to your company (organization, etc.), please provide details.
1 Merged with other companies (organization, etc.) this month
2 Spun off into a separate entity (split of a corporation) this month
3 Capital changed this month

	Present Month	Previous Month		thousand yen
1				
2				
3				
4				
5 Others				

Others
* Provide the figure of business activities other than 1 to 4, and describe those business activities in the remarks ② column.

Entire enterprise (total)
* Provide the total value of the entire enterprise into the total column, not leaving it blank.

2. Number of persons engaged in your company (organization, etc.)

2.(1) Number of persons working at the location of establishment of your company (organization, etc.) (excluding dispatched or temporarily transferred employees to other enterprises, etc.) (at the end of the month) (Provide the figure for the business day closest to the end of the month) * If there is no applicable data for each column fill in "0" not submit it blank.

		Present Month	Previous Month
① Salaried directors		Person	Person
Regular employees	② Full-time employees	Person	Person
	③ Other than full-time employees (part-timers and temporary workers, etc.)	Person	Person
④ Non-regular workers (excluding part-timers and temporary workers other than ③)		Person	Person
Total number (total of ① to ④)		Person	Person

2.(2) Persons temporarily transferred or dispatched from other enterprises, etc.

Present	Person
Present	Person

3 Monthly Survey on Service Industries Monthly Questionnaire (for establishments)

General Statistical Survey

Monthly Survey on Service Industries Monthly Questionnaire (for establishments)

Statistics Bureau, Ministry of Internal Affairs and Communications

Please fill in for the preprinted month and the previous month.

Year   Month

2 0

Please fill in as it may be necessary to contact you.

Department

The name of the person who filled in the questionnaire

Telephone (   )   -   (Extension:)

1. Monthly sales (income), etc. of your establishment

Make entries including tax in principle. If it is difficult to do so for accounting
purposes, make entries excluding tax and enter a check mark in the box
□ Tax exclusion

1.(1) Sales (income)
* Round amounts to the nearest 1,000.
* If no sales are posted temporarily due to a seasonal factor, fill "0" in the sales column and enter the reason
thereof in the remarks ② column.

[Remarks ①]
If the the monthly sales increased or decreased significantly compared with the same month a year earlier, enter the specific reason.
If you cannot compare with the same month a year earlier, please enter the comparison with the previous month.

thousand yen

[How to fill out the questionnaire　]
About "1.(1)Sales (income)"
· Provide the figure of entire monthly sales (income) of the establishment.
· The sales (income) include sales for supply of services and sales of article (including indirect tax, consumption tax, etc.) in the establishment. They also include cost such as purchase amount and salary and total income from all operations of the establishment.
· For consumption tax, make entries including tax in principle. If it is difficult to do so for accounting purpose, make entries excluding tax and enter a check mark in tax exclusion box.

2. Number of persons working at the location of establishment at the end of the month (Provide the figure for the business day closest to the end of the month) * If there is no applicable data for each column, fill in "0" not leaving it blank.

2.(1) Number of persons engaged in your establishment (excluding dispatched or temporarily transferred employees to other establishments)

	Regular employees		④ Non-regular workers (including part-timers and temporary workers other than ③)	Total number (total of ① to ④)	2.(2) Persons temporarily transferred or dispatched from other enterprises, etc.
	② Full-time employees	③ Other than full-time employees (part-timers and temporary workers, etc.)			
① Salaried directors Individual proprietors Unpaid family workers					

Person　Person　Person　Person　Person

[Remarks ②] If any major changes have occurred with regard to your establishment, please provide details.

1 Merged with other companies (organization, etc.) this month
2 Spun off into a separate entity (split of a corporation) this month
3 Capital changed this month

政府統計

4 Monthly Survey on Service Industries Monthly Questionnaire (for enterprises, etc.)

Monthly Survey on Service Industries Monthly Questionnaire (for enterprises, etc.)

General Statistical Survey

Statistics Bureau, Ministry of Internal Affairs and Communications

Please fill in for the preprinted month and the previous month.

Year 20 ___ Month ___

Please fill in as it may be necessary to contact you.

Department

The name of the person who filled in the questionnaire

Telephone ( ) - (Extension:)

1. Monthly sales (income), etc. of your company (organization, etc.)

Tax excluded / Tax included — Make entries including tax in principle. If it is difficult to do so for accounting purpose, make entries excluding tax and enter a check mark in the box.

1.(1) Details of business activities
* For business activities which you decided not to implement from this month, use double lines to strike through the name of the business activities, and enter the amount in the remarks ② column by business activity.

1.(2) Sales (income)
* Round amounts to the nearest 1,000.
* If no sales are posted temporarily, fill "0" in the sales column and enter the reason thereof in the remarks ② column.

[Remarks ①]
If the monthly sales increased or decreased significantly compared with the same month a year earlier, enter the specific reason. If you cannot compare with the same month a year earlier, please enter the comparison with the previous month.

1
2
3
4

Others
5
* Provide the figure of business activities other than 1 to 4, and describe those business activities in the remarks ② column.

(thousand yen)

Entire enterprise (total)
* Provide the total sales of the entire enterprise into the total column, not leaving it blank.

[Remarks ②] If any major changes have occurred with regard to your company (organization, etc.), please provide details.

1 Merged with other companies (organization, etc.) this month
2 Spun off into a separate entity (split of a corporation) this month
3 Capital changed this month

2. Number of persons engaged at the location of establishment of your company (organization, etc.) at the end of the month (Provide the figure for the business day closest to the end of the month) * When no applicable data for each column, fill in "0" or leaving it blank

2.(1) Number of persons engaged in your company (organization, etc.) (excluding dispatched or temporarily transferred employees to other enterprises, etc.)

	Regular employees		Non-regular workers (including part-timers and temporary workers, etc.)	Total number (total of ① to ④)
	② Full-time employees	③ Other than full-time employees (part-timers and temporary workers, etc.)		
① Salaried directors				

[Persons]

2.(2) Persons temporarily transferred or dispatched from other enterprises, etc.

[Persons]

Appendix 6
Industry Coverage of "the Monthly Survey on Survice Industries" in the Tertiary Industry

☐ : Covered

▨ : Not Covered

Industry	(Reference) Results of 2014 Economic Census for Business Frame of Japan	
	Number of establishments (thousand)	Number of persons engaged (thousand)
F Electricity, gas, heat supply and water	9	279
G Information and communications	66	1,631
37 Communications	4	154
38 Broadcasting	2	68
39 Information services	36	1,074
40 Internet based services	5	83
41 Video picture, sound information, character information production and distribution	19	251
H Transport and postal activities	135	3,284
42 Railway transport	5	252
43 Road passenger transport	25	560
44 Road freight transport	72	1,714
45 Water transport	3	50
46 Air transport	1	55
47 Warehousing	10	198
48 Services incidental to transport	18	371
49 Postal activities, including mail delivery	0	85
I Wholesale and retail trade	1,407	12,033
J Finance and insurance	87	1,513
K Real estate and goods rental and leasing	385	1,496
68 Real estate agencies	66	323
69 Real estate lessors and managers	288	861
70 Goods rental and leasing	32	312
L Scientific research, professional and technical services	232	1,891
71 Scientific and development research institutes	7	293
72 Professional services, n.e.c.	117	640
73 Advertising	10	125
74 Technical services, n.e.c.	99	833
M Accommodations, eating and drinking services	728	5,521
75 Accommodations	52	697
76 Eating and drinking places	620	4,231
77 Food take out and delivery services	56	592
N Living-related and personal services and amusement services	490	2,540
78 Laundry, beauty and bath services	371	1,186
79 Miscellaneous living-related and personal services 1)	57	433
80 Services for amusement and hobbies	61	922
O Education, learning support	224	3,142
81 School education	57	2,188
82 Miscellaneous education, learning support	167	954
P Medical, health care and welfare	447	7,932
83 Medical and other health services	259	4,046
84 Public health and hygiene	5	135
85 Social insurance and social welfare	183	3,752
Q Compound services	35	519
R Services, n.e.c.	365	4,746
88 Waste disposal business	23	325
89 Automobile maintenance services	58	264
90 Machine, etc. repair services, except otherwise classified	30	237
91 Employment and worker dispatching services	18	948
92 Miscellaneous business services	85	2,375
93 Political, business and cultural organizations	50	276
94 Religion	93	265
95 Miscellaneous services	8	56
96 Foreign governments and international agencies in japan	—	—
S Government, except elsewhere classified	40	1,897
Total of Tertiary industry	4,651	48,424
Which of Coverage of the Survey 2)	2,853	28,836

1) Excluding "domestic services"
2) Excluding "pure holding companies", "public health centers", "social insurance organizations" and "welfare offices"

(Supplementary Data) Main Sub-sectors of Industries Covered by the Survey

Industry	Sub-sector
G Information and communications	
37 Communications	Fixed telecommunications / Mobile telecommunications
38 Broadcasting	Public broadcasting / Private-sector broadcasting / Cablecasting
39 Information services	Computer programming and other software services / Data processing and information services
40 Internet based services	Internet based services
41 Video picture, sound information, character information production and distribution	Video picture information production and distribution / Sound information production / Newspaper publishers / Publishers,except newspapers / Commercial art and graphic design
H Transport and postal activities	
42 Railway transport	Railway transport
43 Road passenger transport	Common omnibus operators / Common taxicab operators / Contracted omnibus operators
44 Road freight transport	Common motor trucking / Motor trucking (particularly-contracted) / Mini-sized vehicle freight transport / Collect-and-deliver freight transport
45 Water transport	Oceangoing transport / Coastwise transport / Inland water transport / Vessel and ship rental and leasing
47 Warehousing	Ordinary warehousing / Refrigerated warehousing
48 Services incidental to transport	Port transport / Freight forwarding / Transport agencies / Packing and crating / Transport facilities services
4* Air transport, postal activities, including mail delivery	Air transport / Aircraft service / Postal activities, including mail delivery
K Real estate and goods rental and leasing	
68 Real estate agencies	Sales agents of building and houses and land subdividers and developers / Real estate agents and brokers
69 Real estate lessors and managers	Real estate lessors /House and room lessors / Automobile parking / Real estate managers
70 Goods rental and leasing	General goods rental and leasing / Industrial equipment and machinery rental / Office machinery rental / Automobile rental / Sports and hobby goods rental
L Scientific research, professional and technical services 1)	
72 Professional services, n.e.c. 2)	Lawyers' and patent attorneys' offices / Notaries public, judicial scriveners' and land and house surveyors' offices / Administrative scriveners' offices /Certified public accountants' and auditors' offices / Certified social insurance and labor consultants' offices / Design services / Authors and artists / Business consultants
73 Advertising	Advertising
74 Technical services, n.e.c.	Veterinary services / Engineering and architectural services / Mechanical design services / Commodity inspection and non-destructive testing services / Surveyor certification / Photographic studios
M Accommodations, eating and drinking services	
75 Accommodations	Hotels / Common lodging houses / Boarding houses
76 Eating and drinking places	Eating places / Specialty restaurants / "Soba" and "Udon" (Japanese noodles) restaurants / "Sushi" bars / Drinking houses and beer hall / Bars,cabarets and night clubs / Coffee shops
77 Food take out and delivery services	Food take out services / Food delivery services
N Living-related and personal services and amusement services	
78 Laundry, beauty and bath services	Laundries / Barbershops / Hair-dressing and Beauty salon / Public bathhouses
79 Miscellaneous living-related and personal services 3)	Travel agency / Garment sewing services and repairs / Checkrooms, safety deposit services / Crematories and graveyard custodians / Ceremonial occasions
80 Services for amusement and hobbies	Cinemas / Performances,theatrical companies / Bicycle,horse,motorcar and motorboat race track operations and companies /Sports facilities / Public gardens and amusement parks / Amusement and recreation facilities
O Education, learning support 4)	
82 Miscellaneous education, learning support	
82a Social education, vocational and educational support facilities	Social education / Vocational and educational support facilities
82b Supplementary tutorial schools, instruction services for arts, culture and technicals	Supplementary tutorial schools / Instruction services for arts,culture and technicals
P Medical, health care and welfare	
83 Medical and other health services	Hospitals / Clinics of medical practitioners / Dental clinics / Maternity clinics and nursing / Other health practitioners
84 Public health and hygiene 5)	Health consultation offices
85 Social insurance and social welfare 6)	Child welfare services / Welfare services for the aged and care services / Welfare services for disabled persons
R Services, n.e.c. 7)	
88 Waste disposal business	Domestic waste disposal business / Industrial waste disposal business
89 Automobile maintenance services	Automobile maintenance services
90 Machine, etc. repair services, except otherwise classified	Machine repair shops / Electrical machinery,apparatus,appliances and supplies repair shop / Paper hangers
91 Employment and worker dispatching services	Employment services / Worker dispatching services
92 Miscellaneous business services	Stenographic,entree document and duplicating services / Building maintenance services / Guard services
95 Miscellaneous services	Meeting halls / Slaughterhouses

1) Excluding "scientific and development research institutes"
2) Excluding "pure holding companies"
3) Excluding "domestic services"
4) Excluding "school education"
5) Excluding "public health centers"
6) Excluding "social insurance organizations" and "welfare offices"
7) Excluding "political, business and cultural organizations", "religion" and "foreign governments and international agencies in Japan"

サービス産業動向調査（月次調査）結果の利用方法

　サービス産業動向調査（月次調査）結果は，インターネットで結果表を閲覧又はダウンロード（CSV形式等）することができます。また，報告書は，総務省統計図書館のほか国立国会図書館，県立図書館等で閲覧できます。

インターネット
　サービス産業動向調査（月次調査）に関する情報については，総務省統計局のホームページに掲載しています。また，結果表等の統計データは，「政府統計の総合窓口（e-Stat）」（※）に登録しています。

サービス産業動向調査ホームページ
URL　https://www.stat.go.jp/data/mssi/index.html

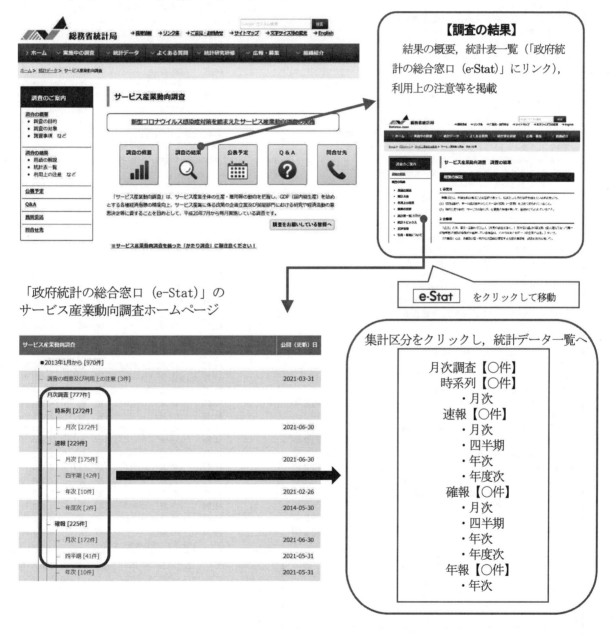

※「政府統計の総合窓口（e-Stat）」（URL　https://www.e-stat.go.jp/）は，各府省が公表する統計データを一つにまとめ，統計データを検索したり，地図上に表示できるなど，統計を利用する上で，たくさんの便利な機能を備えた政府統計のポータルサイトです。

総務省統計局編集等・（一財）日本統計協会発行の新刊案内

書名	判型	頁	CD-ROM	定価
新版 日本長期統計総覧（全5巻）	A4判	586頁～746頁	CD-ROM付	

我が国の統計を集大成した「日本長期統計総覧」を20年ぶりに抜本的に改訂。　　第1巻～第4巻は定価22,000円、第5巻は定価23,100円

書名	判型	頁	CD-ROM	定価
第 70 回 日 本 統 計 年 鑑　令和3年	B5判	784頁	CD-ROM付	定価 16,500 円
統 計 で み る 日 本　2021	A5判	338頁		定価 2,750 円
日 本 の 統 計　2021	A5判	308頁		定価 2,200 円
世 界 の 統 計　2021	A5判	296頁		定価 2,200 円
STATISTICAL HANDBOOK OF JAPAN　2021	A5判	214頁		定価 3,300 円
社 会 生 活 統 計 指 標　2021	A4判	548頁	CD-ROM付	定価 9,680 円
統 計 で み る 都 道 府 県 の す が た　2021	A4判	174頁	CD-ROM付	定価 3,190 円
統 計 で み る 市 区 町 村 の す が た　2021	A4判	324頁	CD-ROM付	定価 5,500 円
デ ー タ 分 析 の た め の 統 計 学 入 門	A4判	428頁		定価 1,980 円
公的統計の現代的意義並びに作成技法及び利用の高度化に関する研究	B5判	250頁		定価 3,850 円
GDP 統計を知る－大きく変わった国民経済計算－	A5判	176頁		定価 2,200 円
日本を彩る47都道府県と統計のはなし	B5判	386頁		定価 2,970 円
令 和 元 年 全国家計構造調査報告（旧 全国消費実態調査）				
第1巻 家計収支編 その1 世帯属性に関する結果	A4判	850頁	CD-ROM付	定価 9,900 円
第1巻 家計収支編 その2 世帯類型、高齢者、就業者に関する結果	A4判	850頁	CD-ROM付	定価 9,900 円
第1巻 家計収支編 その3 購入形態等に関する結果	A4判	800頁	CD-ROM付	定価 9,350 円
第2巻 所得編	A4判	730頁	CD-ROM付	定価 9,350 円
第3巻 資産・負債編	A4判	574頁	CD-ROM付	定価 8,470 円
平 成 30 年 住宅・土地統計調査報告				
全 国 編（平成の住宅事情 – 時系列）	A4判	412頁		定価 13,200 円
都道府県編（12分冊）	A4判 322～560	頁	CD-ROM付	定価 各10,450 円
平 成 27 年 国 勢 調 査 報 告				
我が国人口・世帯の概観	A4判	192頁		定価 4,070 円
地図シリーズ 我が国の人口集中地区－人口集中地区別人口・境界図－	A4判	130頁		定価 36,300 円
ライフステージでみる日本の人口・世帯	A4判	60頁		定価 990 円
第1巻 人口・世帯総数	A4判	816頁	CD-ROM付	定価 9,680 円
第2巻 人口等基本集計結果 全国編、都道府県・市区町村編	A4判296頁～782頁		CD-ROM付	定価 7,590 円～9,900 円
第3巻 就業状態等基本集計結果 全国編、都道府県・市区町村編	A4判326頁～522頁		CD-ROM付	定価 7,480 円～8,360 円
第4巻 世帯構造等基本集計結果 全国編、都道府県・市区町村編	A4判356頁～654頁		CD-ROM付	定価 10,010～10,670 円
第5巻 抽出詳細集計結果 全国編、都道府県・市区町村編	A4判424頁～888頁		CD-ROM付	定価 10,010～11,550 円
第6巻 第1部 従業地・通学地による人口・就業状態等集計結果　全国編、都道府県・市区町村編	A4判308頁～772頁		CD-ROM付	定価 8,690円～11,220 円
第6巻 第2部 従業地・通学地による抽出詳細集計結果	A4判	654頁	CD-ROM付	定価 11,000 円
第7巻 人口移動集計結果 全国編、都道府県・市区町村編	A4判180頁～562頁		CD-ROM付	定価 9,240円～10,230 円
最終報告書 日本の人口・世帯	A4判	548頁	CD-ROM付	定価 10,120 円
平 成 28 年 経済センサス-活動調査報告				
第1巻 事業所数及び従業者数に関する集計	A4判	788頁		定価 10,120 円
第2巻 事業所の売上（収入）金額に関する集計	A4判	898頁		定価 11,110 円
第3巻 企業等数及び従業者数に関する集計	A4判	582頁		定価 9,900 円
第4巻 企業等の売上（収入）金額及び費用に関する集計	A4判	552頁		定価 9,460 円
第8巻 建設業、医療・福祉、学校教育及びサービス関連産業に関する集計	A4判	426頁		定価 8,360 円
平 成 29 年 就業構造基本調査報告書				
第1巻 全国編	A4判	666頁	CD-ROM付	定価 10,120 円
第2巻 都道府県編	A4判	664頁	CD-ROM付	定価 10,230 円
平 成 28 年 社会生活基本調査報告				
第1巻 生活時間編	A4判	588頁	CD-ROM付	定価 10,010 円
第2巻 生活行動編	A4判	528頁	CD-ROM付	定価 9,680 円
第3巻 詳細行動分類による生活時間編	A4判	362頁	CD-ROM付	定価 9,240 円
労 働 力 調 査 年 報　令和2年	A4判	344頁	CD-ROM付	定価 6,600 円
人口推計資料 NO.93 人口推計 －令和元年10月1日現在-	A4判	110頁		定価 2,640 円
住 民 基 本 台 帳 人 口 移 動 報 告 年 報　令和2年	A4判	282頁	CD-ROM付	定価 4,180 円
家 計 消 費 状 況 調 査 年 報　令和2年	A4判	178頁		定価 3,080 円
家 計 調 査 年 報〈I 家 計 収 支 編〉　令和2年	A4判	434頁		定価 7,810 円
家 計 調 査 年 報〈II 貯 蓄・負 債 編〉　令和2年	A4判	246頁		定価 5,610 円
小 売 物 価 統 計 調 査 年 報　令和元年	A4判	334頁		定価 7,260 円
サ ー ビ ス 産 業 動 向 調 査 報 告　令和2年	A4判	126頁		定価 2,860 円
科 学 技 術 研 究 調 査 報 告　令和2年	A4判	328頁	CD-ROM付	定価 4,400 円
消 費 者 物 価 指 数 年 報　令和2年	A4判	362頁	CD-ROM付	定価 6,380 円
個 人 企 業 経 済 調 査 報 告　令和2年	A4判	300頁		定価 3,850 円

（定価は、税込価格です）

サービス産業動向調査年報　令和2年　Annual Report on the Monthly Survey on Service Industries 2020	発行　一般財団法人 日 本 統 計 協 会　Published by Japan Statistical Association　東京都新宿区百人町2丁目4番6号メイト新宿ビル内　Meito Shinjuku Bldg, 2-4-6, Hyakunincho, Shinjuku-ku, Tokyo, 169-0073

令和3年11月 発行　定価：2,860円（本体 2,600円 ＋ 税10%）
Issued in November 2021　Price：2,860yen（2,600yen + tax10%）

T E L：(03)5332-3151
F A X：(03)5389-0691
E-mail：jsa@jstat.or.jp
振　替：00120-4-1944

編 集　総務省統計局　　　印 刷　名 取 印 刷 工 業 有 限 会 社

ISBN978-4-8223-4132-9　C0033　　￥2600E